1,65

D1390314

INITIATION A
TEILHARD DE CHARDIN

CLICHÉS DE LA COU-
VERTURE : 1. PHOTO
JEANNE MORTIER;
2. PHOTO SCHALL.
DÉPÔT LÉGAL, 2ᵉ TRI-
MESTRE 1963, Nº 5241
IMPRIMEUR, Nº 3069.
© 1963.
ÉDITIONS DU CERF
IMPRIMÉ EN FRANCE.

Tout le monde en parle

INITIATION A
TEILHARD DE CHARDIN

JACQUES MADAULE

LES ÉDITIONS DU CERF
29, boulevard Latour-Maubourg, Paris-7e

A Madeleine ce livre
qui sans elle
n'aurait pu être écrit.

Je tiens à remercier ici respectueusement
et chaleureusement Mlle Jeanne Mortier,
légataire des écrits du Père Teilhard de
Chardin, pour l'autorisation qu'elle m'a donnée de puiser dans les textes encore inédits
du Père et pour les conseils sans prix qu'elle
m'a prodigués.

J'ai délibérément renoncé à renvoyer aux
pages des *Lettres de voyage* et de *Genèse
d'une Pensée*. Il m'a paru suffisant d'indiquer la date des lettres citées.

Pour le reste, je renvoie à l'édition des
œuvres complètes, en indiquant non la maison mais le titre de chaque volume. Je rappelle que ces œuvres sont publiées aux Éditions du Seuil, ainsi que *Le Groupe zoologique humain*, que je cite d'après l'édition
de 1956 chez Albin Michel.

Quant aux inédits, j'indique simplement
le titre de l'œuvre, sans indiquer la pagina-
tion, qui serait sans intérêt.

AVANT-PROPOS

D'UN *homme illustre,* comme Pierre Teilhard de Chardin, le message demeure : je veux parler de ses œuvres, qui voient le jour régulièrement et qui permettent d'apprécier de mieux en mieux ce qu'il avait réellement à nous dire et l'usage que nous en pouvons faire. L'homme nous a quittés, le 10 avril 1955, il y a moins de dix ans. L'arbre qui a jeté tous ces germes en terre n'est plus. Nous sentons bien pourtant qu'il existe un certain rapport entre sa vie et son œuvre et il n'est pas sans intérêt, je crois, d'essayer de le montrer. Nous le pouvons grâce à des témoignages encore vivants, à des documents de plus en plus nombreux, bien qu'il en manque encore beaucoup, à quelques souvenirs personnels enfin.

Le cadre de cette collection ne permet pas d'écrire une biographie proprement dite, d'autant que celle-ci a été faite, et bien faite, par M. Claude Cuénot dans

un livre auquel je ne saurais dire tout ce que je dois[1].
J'ai plutôt tenté d'esquisser un portrait. Mais, natu-
rellement, puisqu'il s'agit de Teilhard, ce portrait de-
vait être évolutif, s'inscrire dans le temps. Chaque
génie a son rythme propre. Certains éclatent brusque-
ment aux esprits tandis que, pour d'autres, une lente
maturation est indispensable. Tel fut le cas de Teilhard
de Chardin. On le voit émerger peu à peu sur l'hori-
zon spirituel et intellectuel de notre siècle comme ces
grandes chaînes de montagnes que, géologue, il étu-
diait, et qui ont très lentement mûri au fond mysté-
rieux des mers d'autrefois.

J'ai tâché d'épouser ce mouvement qui comme tous
ceux de ce genre, comporte aussi des ruptures et des
éclatements. L'œuvre s'y inscrit en quelque sorte d'elle-
même, si bien que, pour la caractériser, sinon pour la
décrire vraiment, il suffisait, à la fin, d'une sorte de
bref inventaire. Ce livre est donc, si l'on veut, une
introduction biographique à la pensée de Teilhard. Il
ne dispense d'aucun autre, et surtout pas de la lecture
des œuvres elles-mêmes, qui sont immédiatement abor-
dables pour tout esprit attentif et moyennement cul-
tivé. Mais peut-être répond-il, du moins je l'espère, à
cette question que tant de nos contemporains se po-
sent : « Qui était donc ce Teilhard, dont les trom-
pettes de la renommée répandent le nom aux quatre
coins du monde, ce Teilhard honni par les uns, exalté

---

1. Cl. Cuénot, *Pierre Teilhard de Chardin*, 1 vol.,
Paris, Plon, 1958.

par les autres, mais dont il apparaît de plus en plus nettement que la pensée travaille en profondeur quelques-unes des structures essentielles de notre époque ? » Il est vrai que les quotidiens et les hebdomadaires ont quelque peu défloré le sujet. C'est pourquoi justement il importe de le reprendre avec une certaine naïveté et de lui rendre, si je puis dire, quelque authentique fraîcheur.

Mais, bien entendu, je n'aurais pas été capable de l'entreprendre si je n'avais été soutenu à chaque instant par l'amicale générosité de Mlle Jeanne Mortier, légataire universelle et responsable de la publication des œuvres; si je n'avais pu m'appuyer sur des amis de Teilhard, tels que Max Begouën et Ida Treat; si je n'avais disposé d'un guide comme Claude Cuénot; si auprès de moi, pendant des années ma femme n'avait creusé la pensée teilhardienne.

Et puis, il y a une grande morte, Marguerite Teillard-Chambon, en littérature Claude Aragonnès, dont je n'oublierai jamais que, presque à la veille de sa mort, elle nous fit les honneurs — ce qui doit être pris ici au sens le plus fort et le plus plein du terme — de Sarcenat, la maison natale. Elle était seule à pouvoir le faire ainsi. Sans elle, cet ouvrage n'était même pas concevable.

CHAPITRE PREMIER

L'OBSCURE MONTÉE DE LA SÈVE
(1881-1914)

Un enfant sage et pensif, aux yeux brillants et sombres comme des perles noires, tel nous apparaît Pierre Teilhard de Chardin dans cette ancienne photographie de lui, dont il me semble qu'elle illumine le salon de Sarcenat, tout embrasé par les rayons déclinants d'un soleil d'automne. Sa cousine, Marguerite Teillard-Chambon, l'y fait revivre pour nous avec une simplicité pathétique. Elle fut le témoin privilégié de ces années disparues. L'horizon tourmenté des montagnes d'Auvergne s'étend et se dresse devant nous, comme autrefois, car les montagnes vivent plus longtemps que les hommes.

Voici le père, grand propriétaire terrien, archiviste-paléographe que ses collègues consultent pour les déchiffrements difficiles. Il est aussi un homme de la nature, chasseur d'insectes, faiseur d'herbiers; il est encore un homme de tradition, et la vie patriarcale de Sarcenat, dans les vingt dernières années de l'autre siècle, avec les domestiques qui participent à la prière des maîtres, avec ses heures réglées comme celles d'un couvent, est aussi loin de nous que si un cataclysme géologique nous en avait brusquement séparés. L'âme du foyer était la mère, dont Teilhard devait écrire quand elle mourut, en 1936 : « C'est à elle que je dois le meilleur de moi-même. » Femme modeste, et qui parlait peu, d'une voix très douce, elle éveilla de bonne heure chez son fils la dévotion au Sacré-Cœur de Jésus, qui devait tenir une si grande place dans la vie spirituelle de Teilhard.

N'allez pas vous représenter néanmoins une maison triste. L'austérité n'est pas nécessairement triste. Ils étaient onze enfants, sans compter les cousins et les cousines. Quelles joyeuses bandes se formaient là, lorsque l'été les réunissait! L'hiver on habitait une demeure plus sombre, cet hôtel de Clermont qui avait appartenu à la famille Périer. Car, dans l'horizon spirituel de Teilhard, tout autant que les montagnes d'Auvergne, il y a Pascal. Mais l'été favorisait bien des expéditions aventureuses, comme celle qui conduisit Pierre et sa sœur Marguerite-Marie fort loin de la maison, vers les montagnes. Interrogé sur le but de son escapade, Pierre répondit : « Voir ce qu'il y a dans l'intérieur des volcans. » On sait que sainte Thérèse d'Avila et son frère étaient ainsi partis de leur maison natale pour subir le martyre chez les Turcs. Ce qui arme les pieds de Teilhard enfant, c'est une espèce de croisade scientifique.

Il a le goût des cailloux. Mais, ici, mieux vaut, je crois, le laisser parler lui-même :

Le besoin de posséder en tout quelque chose d' « absolu » était, dès mon enfance, l'axe de toute ma vie intérieure. Parmi les plaisirs de cet âge, je n'étais heureux (je m'en souviens en pleine lumière) que *par rapport* à une joie fondamentale, laquelle consistait en général dans la possession (ou la pensée) de quelque objet plus précieux, plus consistant, plus inaltérable. Tantôt il s'agissait de quelque morceau de métal, — tantôt, par un saut à l'autre extrême, je me complaisais dans la pensée de Dieu-Esprit (la chair du Christ me paraissait, à cet âge, quelque chose de trop fragile et de trop corruptible).

Ainsi s'exprimait Teilhard en 1917 dans *Mon Univers.* Mais trente-trois ans plus tard, en 1950, il revient sur le même sujet, et d'une manière beaucoup plus explicite, dans *Le Cœur de la matière,* qui est une véritable autobiographie spirituelle :

Il eût fallu m'observer lorsque, toujours secrètement et sans mot dire, sans même penser qu'il pût y avoir rien à dire là-dessus à personne, je me retirais dans la contemplation, dans la possession, dans l'existence savourée de mon « dieu de Fer ». Le *Fer,* je dis bien. Et je vois même encore, avec une acuité singulière, la série de mes « idoles ». A la campagne, une clef de charrue que je dissimulais soigneusement dans un coin de la cour. En ville, la tête, hexagonale, d'une colonnette de renfort, métallique, émergeant au niveau du plancher de la nursery, et dont j'avais fait ma propriété. Plus tard, divers éclats d'obus récoltés avec amour sur un champ de tir voisin... Je ne puis m'empêcher de sourire, aujourd'hui, en repensant à ces enfantillages. Et cependant, en même temps, je me sens bien forcé de reconnaître que, dans ce geste instinctif qui me faisait proprement *adorer* un fragment de métal, une intensité de don et un cortège d'exigences se trouvaient contenus et ramassés, dont toute ma vie spirituelle n'a été que le développement.

Un peu plus tard, il passe du métal au minéral, et voici l'aube de sa vocation de géologue :

Le métal (tel que je pouvais le connaître à dix ans) tendait à me maintenir attaché à des objets manufacturés et fragmentaires. Par le minéral, au contraire, je me trouvais engagé en direction du « planétaire ». Je m'éveillais à la notion d' « étoffe des choses ». Et, subtilement, cette fameuse Consistance, que j'avais jusque-là poursuivie dans le dur et le dense, elle commençait à m'apparaître en direction d'un Élémentaire partout répandu, — dont l'ubiquité même ferait l'incorruptibilité.

Plus tard, quand je ferais de la géologie, on pourrait croire que je tentais simplement, avec conviction et succès, les chances d'une carrière scientifique. Mais, en réalité, ce qui, toute une vie durant, me ramènerait invinciblement (fût-ce aux dépens de la Paléontologie) à l'étude des grandes masses éruptives et des socles continentaux, ce n'est pas autre chose qu'un insatiable besoin de maintenir le contact (*un contact de communion*) avec une sorte de racine ou de matrice universelle des êtres.

Mais ce tableau serait lamentablement incomplet, si l'on n'ajoutait immédiatement ceci, qui se rapporte aux expériences de la même époque :

Si unitive, si « communiante », et donc si chargée d'émotions qu'ait été, dès l'origine, ma prise de contact et de conscience avec l'Univers, elle était vouée, abandonnée à soi seule, à ne pas dépasser un certain degré, assez médiocre, d'intimité et de chaleur... Il fallait que sur moi tombât une étincelle, pour faire jaillir le feu. Or cette étincelle par quoi « mon univers », encore *à demi* seulement personnalisé, *achèverait de se centrer en s'amorisant,* c'est indubitablement à travers ma mère, à partir du courant mystique chrétien, qu'elle a illuminé et allumé mon âme d'enfant... Sucé avec le lait un sens « surnaturel » du divin s'était coulé en moi à côté du sens « naturel » de la plénitude.

Ces enfances de Teilhard se prolongèrent jusqu'en 1892, lorsque Pierre avait onze ans. Le père, excellent humaniste, enseignait à ses enfants le rudiment avant de les mettre au collège. C'est donc dans une famille dont le fils aîné Albéric écrivait : « Notre famille est à mettre sous verre », que Pierre Teilhard de Chardin a passé les premières années de sa vie. En sorte que, lorsqu'il entre au collège des jésuites de Mongré, on peut dire sans ironie qu'il ne changeait presque pas de milieu. Je ne m'attarderai pas sur ces années scolaires, qui furent tout ensemble studieuses et pieuses. Un de ses maîtres, l'illustre abbé Bremond, écrivait plus tard :

J'ai eu, il y a trente ans, pour élève en humanités, un petit Auvergnat, très intelligent, le premier en tout, mais d'une désespérante sagesse. Les plus rétifs de la classe et les plus lourdauds s'animaient parfois; une lecture plus palpitante, un sujet de devoir plus excitant mettaient une flamme dans leurs yeux. Lui, jamais; je n'ai su que longtemps après le secret de cette indifférence apparente. Il

avait une autre passion, jalouse, absorbante, que le faisait
vivre loin de nous : les pierres [1].

Des prix en abondance, et dans toutes les matières,
qu'elles fussent littéraires ou scientifiques; une parti-
cipation assidue aux pieuses congrégations du collège,
notamment celle de l'Immaculée-Conception, dont
Teilhard fut préfet en philosophie, telle fut, en bref,
cette vie de collège qui continuait si bien l'existence
familiale. Le 20 mars 1899, Pierre entrait au noviciat
de la Compagnie de Jésus à Aix-en-Provence. « A dix-
sept ans, a-t-il écrit, le désir du « plus parfait » a
déterminé ma vocation de jésuite. »

Ce n'est point l'atmosphère familiale, ni l'influence
de Mongré qu'il faut ici invoquer. Mais quiconque a
lu les confidences du *Cœur de la Matière* peut facilement comprendre. Nous ne le suivrons point, à présent, pas après pas, de maison en maison, d'Aix à
Laval, puis à Jersey, puis à Hastings, dans les étapes
de sa formation religieuse. Je n'en retiendrai qu'un
incident caractéristique. Un jour, à Jersey, il fut assailli
d'un scrupule. Il se demanda si l'étude de la géologie
était compatible avec la vocation religieuse. Il écrit
là-dessus : « Si je n'ai pas « déraillé » à ce moment-là,
c'est au robuste bon sens du Père T. (maître des novices) que je le dois. En fait, le Père T. se borna, en l'occurrence, à m'affirmer que le Dieu de la Croix atten-

---

1. H. BREMOND, *Le Charme d'Athènes,* pp. 29-30, cité
par CUÉNOT, *Pierre Teilhard de Chardin,* p. 16.

dait l'expansion « naturelle » de mon être aussi bien
que sa sanctification. »

Ce fut surtout à partir d'octobre 1902 que Teilhard
consacra tous ses loisirs à l'étude de la géologie. Certains anciens élèves des jésuites de Jersey se souvien-
nent encore de promenades qu'ils y firent sous la
conduite d'un jeune Père qui, armé d'un marteau,
cassait les cailloux pour les examiner d'un œil qui
était, déjà, celui d'un savant. Mais voici que re-
tentit pour Teilhard l'appel du large. Il n'est pas
encore prêtre; ses études sont loin d'être terminées.
On l'envoie pourtant en Égypte, au collège de la
Sainte-Famille, au Caire, comme « lecteur de chimie
et de physique », de 1905 à 1908. L'Égypte a été, pour
Teilhard, une révélation. Il l'exprime ainsi dans *Le
Cœur de la Matière* :

Entre le monde des bêtes et le monde des forces,
comme une assise fondamentale, le monde des pierres.
Et, par-dessus cet ensemble solidement lié, — tantôt semblable à une riche draperie, et tantôt à une atmosphère
nourrissante — un premier flot d'exotisme tombant sur
moi : l'Orient entrevu et « bu » avidement, non point du
tout dans ses peuples et leur histoire (encore sans intérêt
pour moi), mais dans sa lumière, sa végétation, sa faune
et ses déserts... Tel était, vers l'âge de vingt-huit ans le
complexe spirituel, passablement confus, au sein duquel
fermentait, sans parvenir encore à jeter une flamme bien
nette, mon amour passionné de l'Univers.

Tout le Teilhard d'alors est dans ces lignes, que
l'on pourrait indéfiniment commenter. J'y relève sim-

plement cet étrange aveu que les peuples d'Égypte et
leur histoire étaient encore sans intérêt pour lui. C'est
bien l'élève de Bremond, que dévorait une autre passion. Mais on aura noté le « encore » qui signifie que
les choses devront changer un jour, lorsque Teilhard
aura fait la rencontre de l'humain. Il ne faut pas être
surpris, ni choqué que cette rencontre ait été si tar-
dive. Quand on est affamé d'absolu, de consistance, de
plénitude, ce n'est évidemment pas l'Homme dans son
état actuel, au bout d'une histoire apparemment déce-
vante, qui peut vous combler. Le clapotement des peuples, la superposition des civilisations dans la vallée
du Nil devaient sembler au jeune Teilhard ce « vain
bruit » où Shakespeare voyait le non-sens de l'histoire.

De 1908 à 1912, revenu d'Égypte, Teilhard reprend
ses longues études en Angleterre, à Hastings dans le
Sussex. S'il continue de se perfectionner dans la géologie, si sa passion maîtresse demeure « les couches à
ossements du Weald et ce qu'elles renfermaient comme
dents fossiles », il n'en doit pas moins étudier la philosophie et la théologie, telles qu'on les enseignait
alors dans les scolasticats de jésuites. Certes, il eut
quelques excellents maîtres, notamment le Père de
Grandmaison, qu'il appelait « le divin Léonce[1] »;
mais, dans l'ensemble, l'enseignement philosophique
et théologique que Teilhard reçut alors était assez
médiocre. Il n'est pas rare qu'un grand esprit réagisse

1. En 1910, le Père de Grandmaison fit envoyer son
élève à un Congrès catholique de paléontologie qui se
tenait, cette année-là, à Huy, en Belgique.

violemment à l'enseignement qu'on a voulu lui impo-
ser. Bien que les documents formels, là-dessus, fassent
défaut, il est fort probable que tel fut alors le cas de
Teilhard. Claudel et Bergson ont réagi contre l'enseignement universitaire de leur jeunesse; Teilhard
contre l'enseignement scolastique de la sienne. Il trouvait dans sa profonde piété, d'une part, dans l'étude de
la nature, de l'autre, les dérivatifs nécessaires.

Teilhard fut ordonné prêtre le 24 août 1911, et
M. Claude Cuénot n'a pas tort de supposer que, dans
sa première messe, il dut penser à sa sœur Françoise,
qui était morte de la petite vérole à Shanghaï le 7 juin
précédent en disant : « Que Pierre prie pour moi; au
ciel, je ne l'oublierai pas. » Cette Françoise, avec
Pierre, la plus douée de la famille, s'était faite Petite
Sœur des Pauvres et précédait ainsi son frère sur cette
terre de Chine, où il devait plus tard vivre de si fécondes années.

A présent que les études proprement religieuses sont
terminées, Pierre Teilhard de Chardin peut enfin
consacrer toutes ses forces intellectuelles à la science
qu'il a choisie. Il arrive en 1912 à Paris où, dès la mi-
juillet, il entre en contact avec Marcellin Boule, qui
était alors professeur de paléontologie du Muséum.
Cette rencontre, qui devait être suivie d'une longue
collaboration et d'une profonde amitié, est à coup sûr
l'un des événements décisifs de la vie de Teilhard. Il
l'a écrit lui-même dans l'hommage qu'il rendait à
Boule vingt-cinq ans plus tard :

Vous souvenez-vous de notre première entrevue, vers la

mi-juillet 1912 ?... Ce jour-là, je vins timidement, vers
les deux heures, sonner à la porte, si souvent franchie
depuis, du laboratoire de la place Valhubert. Vous étiez
exactement à la veille (sacrée!) de votre départ pour les
vacances, très occupé. Cependant Thévenin força la consi-
gne. Vous me reçûtes quand même. Et vous me fîtes la
proposition de venir travailler chez vous, à l'école de
Gaudry, — à votre école. Et voici comment, à cinq minutes près, je m'embarquais dans ce qui a été mon existence
depuis lors, la recherche et l'aventure dans le champ de
la paléontologie humaine. Jamais, je crois, la Providence
n'aura joué aussi serré dans ma vie[1].

Ce n'est pas seulement pour la paléontologie que
ce jour fut un grand jour. Teilhard, élevé jusqu'alors
en vase clos, « sous globe », y entre pour la première
fois en contact avec un autre monde, qu'il ne soupçonnait guère et à l'égard duquel il nourrissait peut-
être quelques préjugés. Il rencontre des gens de toute
espèce dans ce laboratoire de Boule, des hommes et
des femmes, en particulier Ida Treat, la première
femme de Vaillant-Couturier, qui l'introduit dans les
milieux d'extrême-gauche. Rien pourtant ne déconcerte Teilhard, et il se trouve immédiatement de plain-
pied avec tous, ce jeune jésuite unique en son genre
chez Boule, qui poursuit des recherches de paléontologie et ne tarde pas à s'y révéler un maître. C'est là
qu'il prépare ses premiers mémoires scientifiques sur
les carnassiers et sur les primates des phosphorites du
Quercy.

1. Cité par Claude CUÉNOT, *op. cit.*, p. 33.

En juin 1913, Teilhard participe à une tournée dans les cavernes à peintures préhistoriques du nord-ouest de l'Espagne. Il y a auprès de lui, entre plusieurs autres, l'abbé Henri Breuil, et c'est ainsi que se noue encore, autour d'une recherche commune, l'une des grandes amitiés de Teilhard. La guerre seule vint interrompre cette intense activité scientifique, cette formation accélérée d'un savant spécialiste où il semble que tout, dans ce premier moment, ait souri à Teilhard. Il avait pourtant fait une autre expérience, il avait reçu une autre révélation, qui devait exercer sur sa vie une influence décisive. Le mieux est, ici, de lui laisser la parole :

Parti, dès l'enfance, à la découverte du cœur de la matière, il était inévitable que je me trouve, un jour, face à face avec le Féminin. Le curieux est seulement qu'en l'occurrence la rencontre ait attendu, pour se produire, ma trentième année. Si grande était pour moi la fascination de l'Impersonnel et du Généralisé [1]...

Rappelons-nous le manque de réactions aux cours de Bremond et l'indifférence à l'histoire égyptienne. Ce serait méconnaître gravement Teilhard, et l'un des traits les plus profonds de cette nature ardente et concentrée que d'oublier que cet homme aimable et ouvert cachait sous une extrême courtoisie la plus ardente passion pour ce qu'il considérait comme l'Unique nécessaire. Pas d'homme qui se laissât moins distraire, au sens pascalien du terme. Il mettait à l'unifi-

1. *Le Cœur de la Matière.*

cation de sa vie intérieure cette « rigueur obstinée »
que recommandait Léonard de Vinci. Quoi d'étonnant,
dans ces conditions, que certaine rencontre pourtant
très naturelle ne se soit produite pour lui que fort
tard ? Mais justement parce que cette rencontre est
très naturelle, il serait monstrueux d'y voir quelque
scandale.

Inutile aussi de chercher à éclairer l'anecdote, pour
cette première raison qu'il n'y a rien de vraiment
anecdotique dans la vie de Teilhard; et pour cette
autre, plus forte encore, que ce serait souverainement
indiscret. Il est remarquable, en tout cas — et c'est
la première chose à retenir — que cette rencontre
décisive se situe précisément dans les années où se
parfait la formation scientifique de Teilhard et où
est couronnée, par l'ordination sacerdotale, sa formation religieuse. Il fallait, d'une certaine façon, qu'il
fût homme complet pour être un vrai prêtre et un
savant authentique. Or, si le religieux fait vœu de
chasteté, si le prêtre est célibataire, ils n'en sont pas
moins ordonnés à l'humanité tout entière, qui est faite
de deux moitiés complémentaires, qui est polarisée
entre le masculin et le féminin. La rencontre du féminin ne doit pas s'entendre ici d'une façon grossière.
Elle signifie simplement qu'à cette époque de sa vie
Pierre Teilhard de Chardin a fait attention à l'élément
féminin en tant que tel. Or, si la femme en tant que
telle attire l'attention de l'homme, ce ne peut être que
par l'amour. Telle est la révélation que reçoit alors
Teilhard, l'étincelle qui l'embrase, et avec lui tout

l'univers. Certes, il n'ignorait pas l'amour de Dieu,
« le sens surnaturel du divin », dont il nous dit qu'il
l'a sucé avec le lait; mais l'amour dont il s'agit ici est
celui qui unit personne à personne; c'est l'amour du
singulier. Quand Teilhard nous dit : « Si grande était
pour moi la fascination de l'Impersonnel et du Généralisé », il nous montre parfaitement ce qu'il a découvert.

C'est d'abord par la rencontre du féminin qu'il a
été conduit à la personne, dans ce qu'elle a précisément de singulier et d'irremplaçable. C'est par là que
commence aussi son introduction à l'humain, qui
devait être parachevée par la guerre et par beaucoup
d'autres réflexions. Si quelques-uns s'étonnent qu'il ait
fallu tellement de temps à Teilhard pour découvrir
ce qui, à d'autres, est immédiatement évident, ceci doit
leur montrer à quelle nature très particulière nous
avons affaire ici. Non que Teilhard ait jamais été
fermé à la tendresse naturelle; non que sa sensibilité
n'ait, dès le début, été très vive. Mais il était à tel
point engagé dans une autre recherche qu'il pouvait
être distrait de tout le reste.

Cette distraction a pris fin vers la trentième année,
et l'on peut bien imaginer que ce fut là une véritable
épreuve. Nous rencontrons ici pour la première fois
— et ce ne sera pas la dernière — l'inévitable souffrance de tout ce qui est grand. Cet enfant, ce jeune
homme, cet homme merveilleusement préservé, voici
qu'il est maintenant à la veille d'être brutalement jeté
dans le tourbillon des hommes. Il est nécessaire pour

lui, pour la fécondité même de son apostolat futur, de quelque manière qu'on veuille l'entendre, qu'il s'agisse du message qui s'inscrit aux lignes imprimées d'un article ou d'un livre, ou bien de ce ministère dont il est aussi chargé, il est nécessaire, dis-je, qu'il ait appris à bien considérer les hommes dans ce que chacun a d'unique. Et puis, pour découvrir un jour vraiment et authentiquement le Personnel au sommet de l'Univers, il fallait l'avoir concrètement rencontré, et ce ne pouvait être que sous la forme féminine.

Voilà pourquoi j'ai cru devoir insister sur ce qui n'a pas été, dans la vie de Teilhard, un simple épisode anecdotique, mais une expérience fondamentale et nécessaire, qu'il n'a cessé d'approfondir jusqu'au bout. A présent le soldat de saint Ignace est armé de pied en cap; il a véritablement reçu, dans cette suprême épreuve, ses éperons de chevalier. Mais pourquoi ne pas le laisser parler, encore une fois, lui-même?

Il me paraît indiscutable (en droit, aussi bien qu'en fait) que chez l'homme — même et si voué soit-il au service d'une cause ou d'un Dieu — nul accès n'est possible à la maturité et à la plénitude spirituelles en dehors de quelque influence « sentimentale » qui vienne, chez lui, sensibiliser l'intelligence et exciter, au moins initialement, les puissances d'aimer. Pas plus que de lumière, d'oxygène ou de vitamines, l'homme — aucun homme — ne peut (d'une évidence chaque jour plus criante) se passer de Féminin[1].

---

1. *Le Cœur de la Matière.*

CHAPITRE II

L'ÉCLATEMENT DES BOURGEONS
(1914-1923)

« La guerre aura été pour
Pierre Teilhard, parmi les événements extérieurs de sa
vie, probablement le plus décisif. » Ainsi s'exprime
celle qui fut le témoin privilégié de cette époque,
Marguerite Teillard-Chambon, la cousine du Père.
C'est à elle que furent adressées les lettres qui constituent *Genèse d'une pensée*, le témoignage le plus
précis et le plus émouvant de ces années d'épreuve. Ce
qu'elle a écrit avant de mourir sur cette période est
d'une telle densité, d'une telle plénitude, que je ne
pourrai ici que m'en inspirer.

Comme le saint jésuite Louis de Gonzague déclarait
que, s'il avait su que la fin du monde était pour tout
à l'heure, pendant qu'il était en train de jouer à la
balle au chasseur, il aurait tout simplement continué,
ainsi Teilhard continuait, au moment où la tempête
s'abattit sur l'Europe. Il avait commencé à Londres
son « troisième an » lorsque, au mois de décembre

1914, un conseil de révision l'ayant déclaré bon pour
le service armé, il vint rejoindre sur le front de
combat tous ses frères de France.

Je ne dirai pas ici son héroïsme en qualité de brancardier. Cela se trouve partout et, quand il s'agit
d'un Teilhard, cela ne fait même pas question. La
guerre l'a mis en présence, comme tant d'autres, d'un
risque mortel quotidien. Ce face à face avec la mort
est certainement une des premières leçons de la guerre.
Non seulement sa propre mort, mais aussi, mais surtout la mort des autres.

Les deuils sont nombreux chez nous, et déciment peu
à peu la fleur de nos intelligences les plus belles. Je te
parlais souvent l'an dernier de mon ami Rousselot (professeur de théologie à l'Institut catholique) : je ne t'ai
pas dit qu'il a disparu, en Argonne, depuis quatre mois;
on est très inquiet sur son sort. Tout est vanité, vois-tu,
sauf tenir sa place fidèlement.

Ainsi écrivait Teilhard à sa cousine le 15 octobre 1915.

Je ne pense pas, cependant, que ce soit cette expérience quotidienne de la souffrance et de la mort qui
ait été, pour Teilhard, l'apport décisif de la guerre. En
un sens il y était préparé, et beaucoup mieux préparé
que bien d'autres par son éducation familiale et sa
formation religieuse. Il faut dire, parce que c'est vrai,
que Teilhard fut brave entre tous, volontaire pour les
missions les plus périlleuses, qu'il n'hésitait pas à
aller chercher les blessés entre les lignes; qu'il a souf-

fert sans murmurer de l'inconfort horrible des tranchées. Mais ce qui est remarquable, encore un coup,
ce n'est pas cela. Héros parmi des héros, victime parmi
des victimes, il n'est pas seul ici, ni le premier, ni le
dernier. Il a fait simplement son devoir de soldat,
comme tant de paysans, d'ouvriers, d'employés, d'intellectuels et de bourgeois le firent dans les mêmes
circonstances. Il a fait son métier de prêtre aussi, sup-
pléant au repos les prêtres qui manquaient dans les
paroisses à l'arrière du front. On dirait que la guerre
a extrait de chacun le meilleur de lui-même.

Mais le meilleur de Teilhard était précisément ce
qui n'appartenait qu'à lui-même, et à nul autre. La
guerre va lui faire prendre un véritable bain d'humanité. Car elle fut d'abord cela : un énorme brassage
d'hommes venus de tous les horizons, de toutes les
conditions. Ces hommes que l'on croise dans la rue,
que l'on coudoie dans le métro et qui paraissent n'avoir
avec nous aucune destinée commune, voici qu'ils sont
devenus soudain des camarades. Non pas comme on
peut l'être dans une société choisie, par exemple dans
un noviciat de jésuites ou dans un laboratoire. Une foi
commune ou une recherche commune vous rapproche
alors et rend les contacts plus faciles. Ici, rien n'a été
choisi, et tout pourtant doit être accepté. C'est une
chose de faire un sermon sur la charité qui doit s'éten-
dre à tous les hommes et commencer par celui qui est
le plus proche, non par l'esprit et par le cœur, mais
simplement parce que le hasard ou la Providence l'a
placé ce jour-là tout près de vous, et c'en est une tout

autre de vivre, jour après jour, cette proximité dans la vie et devant la mort. Je n'ai pas écrit cette promiscuité, parce que le mot est péjoratif, mais c'est pourtant cela aussi, entre êtres sortis de milieux si différents, et pour qui les plus simples mots eux-mêmes ont parfois un autre sens.

Je glane quelques-unes des réflexions que fait alors Teilhard. De Clermont, le 13 décembre 1914 : « Le milieu des brancardiers au dépôt est tout ce qu'il y a de moins poétique; de plus, les qualités d'un chacun passent absolument inaperçues. C'est l'idéal de la vie banale et ignorée que je t'ai souvent prônée. » Plus tard, même quand il sera sur le front, exposé au danger permanent, on verra Teilhard guetté par une certaine espèce d'ennui, contre lequel il se défend avec une extrême énergie. Il a écrit un jour : « Pour nous autres, prêtres-soldats, la guerre fut un baptême dans le réel. » Le réel, c'est d'abord cette masse humaine, apparemment presque indifférenciée, à laquelle on se trouve mêlé, pour le meilleur et pour le pire. Si Teilhard connaît l'âpreté, le caractère ingrat de ces perpétuels contacts, non seulement il ne s'y dérobe pas, mais il trouve moyen de faire sentir aux autres, à tous les autres, le rayonnement de sa personnalité. Il semble avoir été toujours extrêmement respecté par les plus humbles de ses camarades. S'il se trouve avec des tirailleurs algériens, il est pour eux le « Sidi Marabout », tandis que, pour les zouaves, il est simplement « Monsieur Teilhard ».

Mais un esprit de cette trempe ne pouvait être mêlé

de si près à la guerre sans qu'elle suscitât en lui un
monde de réflexions, dont ces lettres nous apportent
un écho et que nous retrouvons aussi dans les écrits de
cette époque particulièrement féconde. Ce qu'on peut
dire de plus juste sur Teilhard pendant la guerre, c'est
qu'il s'y montra merveilleusement ouvert. Ouvert à
tout. Et d'abord au spectacle qui lui était offert. Spectacle double : d'une part la nature avec quoi il com-
munie pleinement, comme il l'a toujours fait. Quoi
qu'il arrive, elle ne cesse pas d'être là, et lui, il ne
cesse pas d'avoir pour elle ce regard à la fois attentif
et amoureux, qui est celui du savant, mais pourquoi ne
pas le dire ? aussi celui de l'amant. La lune se lève
sur un paysage bouleversé; les saisons s'y succèdent
comme à l'ordinaire, et l'on voit bien que la folie des
hommes ne réussit pas à bouleverser un ordre plus
ancien. Ce serait une erreur pourtant d'opposer,
comme certains sont parfois tentés de le faire, ceci à
cela. Teilhard pressent que la guerre elle-même est
un de ces phénomènes qui secouent la masse des
hommes, comme, autrefois, furent ébranlées les masses
terrestres qui font l'objet de ses études de géologue.
C'est par exemple ce que lui inspire une conversation
avec Boussac, un de ses amis géologues, qu'il a eu la
bonne fortune de rencontrer, un jour, à l'arrière :

Donc, j'ai trouvé Boussac toujours un peu assombri par
la guerre. Comme dernièrement j'essayais de lui prouver
qu'en travaillant à la bataille il coopérait en somme aux
progrès de la nature qu'il aime tant, il m'a répondu que
« jamais il ne confondrait, jamais même il ne pourrait

comparer les œuvres brutales des militaires et les palabres insincères des diplomates avec les nobles et silencieuses transformations de la Nature ». Et pourtant ne faut-il pas établir cette comparaison, opérer cette fusion ? J'éprouve souvent l'impression de révolte de Boussac, mais je crois qu'elle repose sur une illusion... Oui, le développement moral et social de l'humanité est bien la suite authentique et « naturelle » de l'évolution organique. Il nous paraît laid, ce développement, parce que nous le voyons de trop près, et que le libre arbitre a ses corruptions particulières et exquises, mais en fait, il est l'aboutissement normal d'un travail qui n'est sans doute si « noble et silencieux » que parce que nous le voyons de très loin, — comme les shrapnells autour d'un avion semblent être, vus à grande distance, une scène d'agrément purement ornementale. Toutes les perversités morales sont en germe dans l'activité la plus « naturelle », la plus passive (en apparence) entre les mains de la Cause première; elles y sont assoupies mais point encore traversées, surmontées, ni vaincues (10 juillet 1916).

On voit poindre ici déjà le germe de réflexions que Teilhard ne fera toute sa vie que développer. Pour son ami Boussac, il n'y a point de continuité, ni de rapport entre ce que font les hommes et la nature dans laquelle ils opèrent. Pour Teilhard, au contraire, il doit exister un moyen de voir l'une et l'autre réalité synthétiquement. Il fait donc son profit de la bataille autant que de la nature. Et qu'on n'aille pas trop vite prétendre que de l'une et de l'autre il est simplement spectateur. Il a beau répéter, avec humilité, que le travail du brancardier, que les dangers qu'il court n'ont pas de commune mesure avec ceux du combattant, nous savons bien qu'il n'en est pas ainsi et que Teilhard, encore qu'il ne portât pas les armes, était aussi intimement que quiconque mêlé à la bataille. Quant à la nature, je n'ai pas besoin de rappeler avec quelle profondeur et quelle intensité il y participe.

Mais le propre d'hommes tels que Teilhard est de se trouver tout naturellement à la fois acteurs et témoins. Cette masse humaine à laquelle il est agrégé, il ne s'en sépare pas arbitrairement. Il est réellement présent à leurs épreuves, qu'elles soient physiques ou morales. Mais il est capable aussi de s'isoler. Sa vie au front et dans les cantonnements de l'arrière, c'est la vie de tout le monde, et c'est en même temps une vie à part. Il est admirable de voir, au fil de cette correspondance, combien Teilhard est toujours capable de s'isoler. Ses lettres, écrites souvent dans les conditions les plus précaires, sont toujours tracées de cette main délicate et sûre que connaissent bien tous ceux qui ont eu la bonne fortune de manier quelques manuscrits de Teilhard. Et puis, il y a ces opuscules, dont il parle souvent à sa cousine, ces opuscules où il développe quelques-unes de ses pensées d'alors, où il construit sa vision du monde. Ils sont écrits sur de misérables cahiers d'écolier, mais ils témoignent d'autant de sûreté dans l'esprit et dans l'expression que s'ils avaient pu être médités au fond d'une cellule.

Teilhard, cet homme aimable, courtois, et même disert, a possédé à un très haut degré le don de solitude. C'est ce qui lui a permis de penser la guerre,

tout en la vivant avec la plus grande intensité. Et c'est
pourquoi la guerre lui fut une si décisive expérience.
Certes la proximité de la mort, certes la plongée dans
la masse humaine y furent pour quelque chose. L'essentiel est pourtant ailleurs. D'une part dans une vie
d'oraison, dont Marguerite Teillard-Chambon a bien
raison de nous rappeler au prix de quel humble
héroïsme le Père Teilhard réussit à lui conférer le
maximum de régularité; d'autre part dans l'exercice
d'une pensée toujours active sur une réalité qu'auparavant il ne soupçonnait pas, que nul, même, ne pouvait soupçonner, mais qui lui fut une véritable révélation.

Depuis la mer du Nord jusqu'à la frontière suisse,
voici donc deux peuples douloureusement affrontés.
Qu'est-ce que cela signifie ? Qu'est-ce que cela veut
dire ? Teilhard ne cherchera pas, comme d'autres —
il n'était pas historien et n'avait pas le goût de
l'anecdote — à scruter les causes prochaines de cette
gigantesque catastrophe. Il se demande, par contre,
ce qu'elle signifie pour l'humanité, vue dans le pro-
longement de cette *Vie cosmique,* qui est le titre du
premier essai écrit durant cette période, en 1916.
Texte en apparence détaché du réel immédiat, mais
qui, en réalité, y plonge par toutes ses fibres. Encore
une fois il faut noter que Teilhard ne s'abandonne pas
à la distraction que détestait Pascal.

La Vie cosmique, c'est, à certains égards, l'écrit de
la continuité. Arraché par la guerre à ses travaux ordi-
naires, le Père Teilhard y ramasse les fruits d'une

existence qui a été précisément jusqu'alors toute tendue vers l'appréhension amoureuse de la Nature. Il le
fait tandis qu'il se trouve, comme jamais encore peut-
être, au sein de cette Nature bouleversée par la guerre.

J'écris ces lignes par exubérance de vie et par besoin
de vivre; pour exprimer une vision passionnée de la
Terre et pour chercher une solution aux doutes de mon
action; parce que j'aime l'Univers, ses énergies, ses
secrets, ses espérances, et parce que, en même temps, je
me suis voué à Dieu, seule origine, seule issue, seul
terme.

On pourrait commenter indéfiniment ces lignes
révélatrices, qui nous montrent bien ce que fut l'un
des sentiments majeurs de Teilhard affronté par la
guerre. S'il y avait pour lui, comme pour tous ses
camarades, des moments de dépression, de « cafard »,
ainsi que disaient les poilus d'alors, il les surmontait
de deux manières : d'un côté par une vie religieuse
dont il a laissé percer le secret, ici ou là, précisément
dans cette correspondance, qui est aussi un travail de
direction spirituelle. Il soutient, il guide sa cousine au
travers des difficultés et des embarras qui sont les
siens. Mais, d'un autre côté, il sent monter en lui une
sève de vie qui s'oppose à tout ce que l'existence au
front ou à l'arrière immédiat peut avoir de quotidien-
nement triste. Ce sont là des compensations qui
n'étaient sans doute pas étrangères à ses camarades,
et dont on trouverait trace dans tous les témoignages
authentiques qui nous sont parvenus de cette guerre.

Mais ce qui est plus remarquable, c'est que, dès cette première phrase, est exprimée dans une formule presque claudélienne la « passion de l'Univers », qui n'a cessé de grandir au cœur du jeune Teilhard à mesure qu'il poursuivait son enquête scientifique. « Vision passionnée », voilà une expression que nous ne devrons pas oublier. Une pareille vision était-elle compatible avec le service de Dieu ? La question déjà posée autrefois au maître des novices revient ici sous une autre forme. Elle se posera jusqu'au bout, et l'on peut dire, en un sens, que tel ouvrage comme *Le Cœur de la matière,* n'est encore qu'une réponse à la question permanente. Certes, il n'y a pas contradiction, le maître des novices autrefois l'a dit une fois pour toutes, et Teilhard ne reviendra jamais sur cette réponse libératrice; mais il y a tension pourtant; une tension qui peut aller parfois jusqu'à l'écartèlement, mais où nous devons voir aussi le principe non seulement de la hauteur spirituelle propre à Teilhard, mais de l'immense fécondité d'une pensée affrontée dès le principe à l'un des problèmes essentiels de notre époque.

Quoi d'étonnant si la guerre lui révéla cela ? Elle lui révéla aussi beaucoup d'autres réalités d'un autre ordre, qui le rendirent, pour ainsi dire, plus transparent à lui-même. Il faudrait, par exemple, faire ici une grande place à l'essai intitulé *La Nostalgie du Front,* qu'il écrivit en 1917. Il fait allusion plusieurs fois, dans sa correspondance avec sa cousine, à cette étrange nostalgie, qui est le deuxième moment d'une pulsation psychologique. Quand, surtout après un coup

dur, c...
d'abord un ...
puis, au bout de q...
l'existence brûlante et ...
là-bas. C'est que les deux ar...
comme deux gigantesques organi...
lesquels les personnes se trouvent imm...
éprouve d'une manière concrète et pour ainsi di...
pable la réalité du collectif. Un chrétien comm...
Teilhard n'ignorait certes pas la théologie du Corps
mystique, qui devait précisément être mieux élaborée
après la guerre, comme si l'Église se détournait alors
de la dévotion trop étroitement individualiste qui avait
prévalu depuis la contre-Réforme. Et comment l'expérience de la Compagnie de Jésus, ce grand corps
combattant, ne lui aurait-elle pas révélé la même
vérité ?

Toutefois, il s'agit ici d'autre chose, d'une révélation
encore plus directe et immédiate. Ce que des hommes
accomplissent ensemble dans un danger commun,
n'est-ce pas l'image de ce qu'un jour l'humanité tout
entière pourrait être appelée à réaliser ? Il n'est pas
douteux que l'enseignement de la guerre, pour Teilhard, fut, entre autres choses, celui d'une continuité
entre les gestes collectifs de l'homme et l'évolution
générale de l'Univers. Il s'agit là d'une intuition extrêmement profonde, et que ce ne sera pas trop de toute
une vie pour élucider. Mais que la guerre en fut le
point de départ décisif, c'est ce qu'il importait ici de
noter. Avec aussi le sentiment qui ne devait jamais

...ter Teilhard, que certaines convulsions doulou-
reuses et sanglantes sont justifiées et nécessaires à l'ac-
complissement de la vocation collective qui est celle
de l'humanité.

Les écrits qui jalonnent cette période décisive, et
dont beaucoup sont encore inédits, expriment, par
leurs titres mêmes, par le balancement de la pensée
d'un pôle à l'autre, ce qui préoccupait alors le prêtre-
soldat et la synthèse qu'il faisait d'aspirations en apparence contradictoires et qui devaient pourtant converger. Après *La Vie cosmique,* ce fut *Le Christ dans la
matière,* trois contes que le Père Teilhard devait, beaucoup plus tard, reproduire en appendice du *Cœur de la
matière,* tellement ils lui paraissaient révélateurs, non
seulement de son état d'esprit d'alors, mais d'une
vision qui avait, en réalité, dominé toute sa vie. J'en
extrais seulement quelques lignes, qui en sont la con-
clusion :

« Et Dieu aussi est *le cœur de tout.* Si bien que le vaste
décor de l'Univers peut sombrer ou se dessécher, ou
m'être enlevé par la mort, sans diminuer ma joie de fond.
Dissipée la poussière qui s'animait d'un halo d'énergie et
de gloire, la Réalité substantielle demeurerait intacte, où
toute perfection se collecte incorruptiblement. Les rayons
se reploieraient dans la Source, et là, je les tiendrais
encore tout embrassés.

« Voilà pourquoi la guerre elle-même ne me déconcerte
pas. Dans quelques jours nous allons être lancés pour
reprendre Douaumont, — geste grandiose où je vois
symbolisée une avance définitive du monde dans la libération des âmes. Je vous le dis. Je vais aller à cette affaire

religieusement, de toute mon âme, porté par un seul
grand élan dans lequel je suis incapable de distinguer où
finit la passion humaine et où commence l'adoration.

« Et si je ne dois pas redescendre de là-haut, je voudrais
que mon corps restât pétri dans l'argile des forts comme
un ciment vivant jeté par Dieu entre les pierres de la
Cité nouvelle. »

Ainsi me parla, un soir d'octobre, mon ami très aimé,
celui dont l'âme communiait instinctivement à la vie
unique des choses, et dont le corps repose maintenant,
ainsi qu'il le désirait, quelque part, en terre sauvage[1].

Il faut bien prendre garde, ici, de ne pas majorer
certaines expressions et leur faire dire ce qu'elles ne
disent pas. A aucun moment le Père Teilhard, qui
fait la guerre, ne porte sur cet atroce conflit un juge-
ment d'ordre politique. Il est bien remarquable qu'il
parle toujours avec respect de l'ennemi, je dirai même
avec un sentiment fraternel. L'armée d'en face est,
comme celle dont il fait lui-même partie, un grand
corps vivant et souffrant. Teilhard ne voit pas toutes
les justifications d'un côté, toutes les iniquités de l'autre. La guerre est pour lui comme un énorme phénomène d'ordre naturel, auquel chacun doit faire face
à la place qui est la sienne. Quand donc cet ami, qui
est lui-même, s'apprête à monter à Douaumont et dit
de l'attaque prochaine qu'elle sera « un geste grandiose où je vois symbolisée une avance définitive du

---

1. *Hymne de l'Univers,* Paris, Éditions du Seuil, 1961,
pp. 57-58.

monde dans la libération des âmes », il ne signifie pas que la reprise de Douaumont a, par elle-même, une valeur rédemptrice quelconque. Ce qui a valeur — et valeur absolue — c'est le geste lui-même de ces hommes qui vont bientôt, sortant de leurs tranchées, s'exposer à la mort pour atteindre un but qui les dépasse. Ce que Teilhard a vu, par-dessus tout, dans la guerre, c'est l'occasion pour l'homme de se dépasser lui-même, et c'était là aussi le sens profond de *La Nostalgie du Front*. A l'arrière, tout se défait un peu de ce que le Front avait étroitement lié. Chacun retombe en quelque façon sur lui-même, retrouve ses préoccupations et ses habitudes personnelles. La nostalgie éprouvée alors, et qui ne fut point particulière à Teilhard, c'est la nostalgie de l'unanimité dans une action que le Père nommera plus tard hyperpersonnelle et qui ferait entrer l'humanité dans une phase nouvelle de son histoire, celle de la coréflexion. Un passage d'une lettre du 23 août 1916, qu'il faudrait, du reste, citer presque tout entière, éclaire ce que je viens de dire :

Je ne sais pas quelle espèce de monument le pays élèvera plus tard sur la côte de Froideterre, en souvenir de la grande lutte. Un seul serait de mise : un grand Christ. Seule la figure du Crucifié peut recueillir, exprimer et consoler ce qu'il y a d'horreur, de beauté, d'espérance et de profond mystère dans un pareil déchaînement de lutte et de douleurs. Je me sentais tout saisi, en regardant ces lieux d'âpre labeur, de penser que j'avais l'honneur de me trouver à l'un des deux ou trois points où se concentre et reflue, à l'heure qu'il est, toute la vie de l'Univers, —

points douloureux, mais où s'élabore (je le *crois* de plus en plus) un grand avenir.

On comprend maintenant pourquoi ce fut en pleine guerre que Teilhard creusa ce problème éternel du rapport entre l'un et le multiple; pourquoi il écrivit en 1917 son essai sur *La Lutte contre la multitude*. A sa cousine il disait, le 8 septembre 1916, dans la même lettre où il lui annonçait la mort de Boussac : « J'ai rapporté de là une conviction très nette que la guerre, entre autres résultats, aura eu celui de mélanger et de forger ensemble, d'une manière que rien d'autre, peut-être, n'eût pu obtenir, les peuples de la terre. » Nul n'était mieux fait que Teilhard pour sentir, dans les pires conditions, ce sourd effort de convergences vers l'unité. De quoi s'agissait-il, dans l'espèce ? D'une de ces représentations du Théâtre aux Armées, où il avait vu, « sous des marronniers de village, une assistance de Sénégalais, Martiniquais, Somalis, Annamites, Tunisiens et Français ». Mais c'était de là, de ces spectacles, que partait son esprit pour explorer le plus profond abîme de la destinée humaine.

Il y a, dans ces écrits du Front, dont Marguerite Teillard-Chambon a bien raison d'observer : « Tout ce qui est écrit est écrit. L'aspect même de ses manuscrits est d'une minutieuse netteté d'écriture et de disposition, tels qu'ils pourraient sortir d'un calme cabinet d'étude, bien que sa main tremble encore de fatigue et de nervosité au retour des tranchées [1]. » Il y a, dis-je,

1. *Op. cit.,* pp. 51-52.

dans ces écrits, de singulières alternances. C'est ainsi
que *Le Milieu mystique* succède à *La lutte contre la
multitude*. Ce *Milieu mystique* où nous trouvons l'esquisse de ce qui devait plus tard devenir *Le Milieu
divin* et où la plume d'abord semble s'abandonner
à ce charme qui frappait déjà dans *Les trois contes*
et que nous retrouverons, l'année suivante, dans *La
grande Monade*. « Un son très pur est monté à travers
le silence; une frange de couleur limpide a traîné dans
le cristal; une lumière a passé au fond des yeux que
j'aime... » Impressions très simples, en effet, et qui
paraissent aussi éloignées que possible de cette guerre
dans laquelle Teilhard est en ce moment plongé. Mais
nous voici tout aussitôt emportés au-delà de nous-
mêmes, car ce son, cette lumière, ce regard, ils ne sont
pas faits pour s'inscrire en nous et pour devenir en
quelque manière notre possession, mais au contraire
pour nous entraîner avec eux au-delà de nous-mêmes.
C'est même là, selon Teilhard, le caractère propre du
phénomène mystique :

Par la sensation, nous nous imaginons voir l'extérieur
venir humblement à nous, pour nous constituer et nous
servir. Or ceci n'est que la surface du mystère de la Con-
naissance. Quand le monde se manifeste à nous, c'est lui,
en réalité, qui nous prend en lui, et nous fait nous écouler
en quelque chose de lui, qui est partout en lui, et qui est
plus parfait que lui.

L'homme absorbé par les exigences de la vie pratique,
l'homme *exclusivement* positif, ne perçoit que rarement,
ou à peine, cette deuxième phase de nos perceptions, celle

où le Monde, qui est entré, se retire de nous en nous emportant. Il est médiocrement sensible à l'auréole émotive, envahissante, par laquelle se décèle à nous, en *tout* contact, le seul essentiel de l'Univers.

Le mystique *est celui qui est né pour* donner à cette auréole la première place dans son expérience[1].

Mais il n'est finalement pas possible de donner une idée, fût-elle sommaire, de l'ensemble de ces écrits qui furent composés pendant les périodes de repos, entre deux épreuves, tout au long du Front, au cours de la guerre. Tout ce que Teilhard devait passer le reste de sa vie à éclaircir et à construire était en germe, là. La guerre avait été pour lui un incomparable creuset, avec ses alternances de repos et d'action violente. A l'arrière, Teilhard avait des loisirs, ces loisirs qu'il retrouvera plus tard sur quelque navire traversant l'océan Indien ou le Pacifique. Il ne pouvait être question pour lui de poursuivre ses travaux scientifiques interrompus. Sans doute faisait-il du ministère, autant que c'était nécessaire. Mais cela était loin de remplir ses journées. Il lisait, sans doute, et sa cousine l'approvisionnait en bons livres. Mais il lui restait encore beaucoup de temps pour réfléchir et pour méditer, pour se laisser pénétrer, emporter, ainsi qu'il le dit lui-même, par la nature, pour élever son cœur vers Dieu.

Ce fut justement pendant la guerre, le 26 mai 1918, à Sainte-Foy-lès-Lyon, que le Père Teilhard fut admis

1. *Le Milieu mystique.*

à faire ses vœux solennels. A la même époque, et dans l'atmosphère de ces vœux, il écrivait l'un de ses opuscules, *Le Prêtre,* dans lequel on peut lire, entre autres choses, ceci, qui constitue tout un programme spirituel :

Seigneur, je rêve de voir extrait de tant de richesses, inutilisées ou perverties, tout le dynamisme qu'elles renferment. Collaborer à ce travail, voilà l'œuvre à laquelle je veux me consacrer!

Dans la mesure de mes forces, parce que je suis prêtre, je veux désormais être le premier à prendre conscience de ce que le monde aime, poursuit et souffre; le premier à chercher, à sympathiser, à peiner; le premier à m'épanouir et à me sacrifier, plus largement humain, et plus noblement terrestre qu'aucun serviteur du monde.

Je veux, d'une part, plonger dans les choses et, me mêlant à elles, en dégager, par la possession, jusqu'à la dernière parcelle, ce qu'elles contiennent de vie éternelle, afin que rien ne se perde. Et je veux, en même temps, par la pratique des conseils, récupérer dans le renoncement tout ce que renferme de flamme céleste la triple concupiscence; sanctifier, dans la chasteté, la pauvreté, l'obéissance, la puissance incluse dans l'amour, dans l'or et dans l'indépendance.

Voilà pourquoi mes vœux, mon sacerdoce, je les ai revêtus (c'est là ma force et mon honneur) dans un esprit d'acceptation et de divinisation des puissances de la Terre[1].

---

1. Cité dans C. Cuénot, *op. cit.,* pp. 43-44.

On le voit : ce qui n'était, avant la guerre, qu'une promesse, qu'un avenir à peine ébauché, maintenant est devenu pensée qui, peut-être, n'a pas encore atteint sa forme achevée, mais où, déjà, tout l'essentiel se trouve. Il devait écrire beaucoup plus tard, en 1952, à sa cousine Marguerite Teillard : « Mes papiers de la guerre peuvent être psychologiquement intéressants pour étudier l'ontogénèse d'une idée, mais ils ne contiennent rien que je n'aie redit plus clairement depuis[2]. » Non seulement nous devons l'en croire sur parole; mais il est bien vrai que les écrits postérieurs ne font que confirmer et qu'expliciter ce que contiennent déjà les écrits de la guerre. Ceux-ci n'en sont pas moins d'une capitale importance, non seulement pour qui veut connaître psychologiquement la démarche de la pensée teilhardienne, mais aussi pour qui veut la saisir dans la fraîcheur et le jaillissement de la source.

Il avait eu, antérieurement, une première illumination, dont il nous a fait confidence dans *Le Cœur de la matière* :

C'est au cours de mes années de théologie, à Hastings (c'est-à-dire juste après les émerveillements de l'Égypte) que petit à petit — beaucoup moins comme une notion abstraite que comme *une présence* — a grandi en moi, jusqu'à envahir mon ciel intérieur tout entier, la conscience d'une dérive profonde, ontologique, totale, de l'Univers autour de moi.

2. *Genèse d'une pensée*, p. 50.

La lecture de *L'Évolution créatrice,* qui ne le satisfit
pas, du reste, entièrement, fut l'une des occasions prochaines de cette découverte. Mais cela, nous ne le
savons que par une confidence bien postérieure, tandis
que les écrits de guerre sont des témoins irrécusables.

Résumons-nous : il y avait en Teilhard, dès l'origine, une espèce de bipolarité essentielle. D'une part
il croyait au monde, c'est-à-dire en la Matière; d'autre
part il croyait en Dieu, c'est-à-dire en l'Esprit. Que
ces deux *religions* ne fussent pas contradictoires, il
en avait le sentiment profond. Encore fallait-il en
opérer la synthèse. Cela s'est fait peu à peu, par une
série d'illuminations successives, où la notion d'évolution a joué un rôle décisif. Mais il fallait la grande
secousse de la guerre, la plongée dans un monde atro-
cement multiple et divers, et qui, pourtant, témoignait,
dans le même temps, d'une espèce d'unité organique;
il fallait le danger et l'expérience quotidienne de la
mort; il fallait le loisir et la vacuité des heures de
repos pour que tout cela jaillît soudain en une gerbe
d'essais philosophiques et mystiques qui constituent
véritablement le point de départ de tout le reste.

Je voudrais souligner encore ce qu'il faut bien nommer, faute d'un terme meilleur, le caractère mystique
de l'opération qui s'amorce ainsi. On remarquera, par
exemple, dans le texte que je viens de citer, le mot,
souligné par Teilhard, de « présence », comme on a
remarqué, au début de *La grande Monade,* la manière
dont l'Univers se manifeste au mystique, moins comme
une réalité qui vient à lui que comme une réalité qui

l'entraîne en elle. On s'exposerait à ne rien comprendre à l'œuvre tout entière de Teilhard si l'on oubliait un seul instant qu'elle ne s'explique pas uniquement, ni même principalement par une sorte de déduction abstraite de l'intelligence, mais par une difficulté plus profonde, plus essentielle, plus radicale, parce qu'elle naît de deux expériences, aussi authentiques l'une que l'autre, qui ne sont pas absolument réductibles l'une à l'autre, et qu'il faut pourtant unifier, si l'on ne veut pas tout manquer et tout perdre.

Certes, il existe une double tentation de facilité : celle du panthéisme, qui nous conduirait à nous perdre à tel point dans le monde que le transcendant s'évanouirait; et celle, antithétique, qui nous conduirait à sacrifier totalement le monde, c'est-à-dire la création d'un Dieu excellent, à la transcendance. Pour les éviter l'une et l'autre, il faut, comme disait Bossuet, « tenir les deux bouts de la chaîne », et ce ne fut jamais chose facile, mais c'est essentiellement la position catholique. Nul n'a vécu cette tension crucifiante avec plus d'âpreté que Teilhard pendant la guerre, lorsque se succèdent presque régulièrement des écrits spirituels et des écrits philosophiques. Rien n'est plus émouvant et, disons-le, plus héroïque, que cette existence partagée entre des devoirs quotidiens à la fois impérieux et périlleux et la poursuite d'une méditation difficile et nécessaire. Il existe un lien pourtant, et le lien le plus étroit, entre l'action et la méditation : c'est que celle-ci part de celle-là et y retourne. Teilhard prend alors conscience que ses problèmes sont aussi ceux de son époque; ceux que pose cette guerre même dans laquelle il est engagé. Ce qu'on peut exprimer brièvement en disant que la guerre a moins révélé Teilhard à lui-même qu'elle ne lui a manifesté à quel point ses difficultés propres étaient celles de son époque tout entière, en sorte qu'il aperçoit maintenant avec une aveuglante et terrible clarté quelle est sa vocation singulière.

Ceci n'alla pas, on s'en doute, sans quelques difficultés avec ses supérieurs, ceux qu'il nomme humblement ses guides. Voici ce qu'il écrit en tête de *Mon Univers* (14 avril 1918) :

L'étonnement et une certaine inquiétude qu'ont éveillés chez mes meilleurs amis, la lecture de mes derniers Essais (*Vie cosmique, Lutte contre la Multitude...*) m'ont fait sentir la nécessité d'apporter, à mes idées, quelques éclaircissements.

Pour me préciser à moi-même ma propre doctrine, et faciliter à ceux qui ont le droit de me guider leur tâche de critique et de redressement, j'ai donc cherché à définir les caractères primitifs et essentiels de ma « vision du monde », et à les dégager du revêtement philosophique que je leur ai donné faute de mieux, et provisoirement.

Il était naturel que des pensées aussi neuves, dans leur fond et dans leur expression, suscitassent quelques appréhensions. Elles n'allaient pas tarder à se manifester dès le lendemain de la guerre. Teilhard est démobilisé le 10 mars 1919 et il fait, aussitôt après, un bref séjour à Paris avant de retourner pour quelques mois à Jersey. C'est de Paris que, le 14 avril 1919, un an exactement après *Mon Univers,* il écrit à sa cousine :

Malgré ou à cause de cet enthousiasme, je te dirai que je sens assez vivement, ces temps-ci, les « limitations » de la vie. Plus je m'aperçois que je suis dans mon milieu et, au moins en apparence, capable d'agir, plus je me heurte aux obstacles qui m'empêchent de « produire » et de me donner, qui font encore de moi un écolier, et qui m'empêcheront peut-être toujours d'avoir une « plate-forme ». Vraiment, plongé dans le monde qui me convient le mieux, j'en suis isolé par un concours de circonstances qui m'empêchent de porter la coupe aux lèvres, et de profiter de ce que je touche. C'est vraiment le moment où, conformément à mes convictions les plus chères, je devrais me réjouir uniquement du divin qui entre en moi par cette voie, je le crois, plus que par aucune autre... Mais les impressions ne sont pas toujours faciles à surmonter, tu le sais. Prie pour que je m'attache plus que jamais à l'unique nécessaire, maintenant que les limitations (bénies, en somme) de la Providence sont particulièrement sur moi.

Les obstacles dont Teilhard se plaint alors sont de plusieurs ordres. Il ne s'agit pas seulement de certaines oppositions qu'il rencontre dans sa famille religieuse; mais aussi d'études à reprendre et à parfaire à un âge où il se sent déjà un maître. Il n'en reste pas moins que le religieux qu'il est n'a pas les mêmes facilités qu'un laïc à faire connaître sa pensée. De tous les écrits du temps de la guerre, cette période qu'il devait nommer plus tard sa « lune de miel intellectuelle », un seul : *La Nostalgie du Front,* a paru dans *Les Études,* et encore mutilé. Le reste circule sous le manteau, comme ce devait être le cas de presque tout jusqu'à la mort du Père.

Retourné à Paris à la fin de 1919, Teilhard y achève donc ses études interrompues par la guerre. Il passera son doctorat ès sciences en 1922 avec une thèse sur *Les Mammifères de l'Eocène inférieur français et leurs gisements.* Mais son activité ne se limite pas, ne peut se limiter à ces examens et travaux scolaires. C'est en 1919 qu'il écrit *Les Noms de la matière* et *La Puissance spirituelle de la matière,* tandis que, par l'intermédiaire de son ami et condisciple d'Aix, de Jersey et d'Hastings, le Père Valensin, il entre en rapport avec le philosophe Maurice Blondel. Nous avons pu apprécier ces dernières années seulement la portée et la valeur de ces échanges philosophiques. C'est en 1920 que l'abbé Breuil mit en relations le Père Teilhard avec un ami minéralogiste, l'abbé Gaudefroy, qui occupait à l'Institut catholique la chaire d'Albert de Lapparent. Mais comme Gaudefroy était surtout minéralogiste, il fit scinder sa chaire et Teilhard enseigna la géologie et la paléontologie jusqu'en 1923.

Ces années 1919-1923 furent, on le voit, particulièrement ardentes et fécondes. Au sortir de la guerre, Teilhard y reprenait contact avec le milieu parisien, continuait ses travaux chez Boule tout en préparant ses derniers examens universitaires et se livrait encore à bien d'autres activités. L'abbé Gaudefroy lui avait

fait connaître le Père Portal, lazariste, qui exerça une
si profonde influence sur des générations de jeunes
intellectuels, à l'École normale supérieure et à l'École
polytechnique. Teilhard fit devant ces jeunes gens plusieurs conférences qui ont laissé un profond souvenir
à ceux qui eurent la bonne fortune de les entendre. Ce
fut également à cette époque de travail et d'épanouissement que Teilhard, par l'intermédiaire de l'abbé
Gaudefroy, entra en relations avec Édouard Le Roy.
On sait quelle devait être, par la suite, la portée de
cette rencontre.

Entente et compréhension parfaites avec Le Roy;
accord beaucoup plus limité avec Blondel, dont Teilhard devait écrire, bien plus tard, à la veille presque
de sa mort, le 15 février 1955 :

Avec Blondel j'ai été en relation (à travers Auguste
Valensin) pendant un an environ (juste après la première
guerre, vers 1920). Certains points de sa pensée ont
certainement beaucoup agi sur moi : la valeur de l'action
(qui est devenue chez moi une énergétique quasi expérimentale des puissances biologiques d'évolution), et la
notion de « panchristisme » (à laquelle j'étais arrivé indé-
pendamment, mais sans oser, à l'époque, la nommer aussi
bien [1].

Travaux scientifiques, notes philosophiques, conférences apologétiques se mêlent alors et se succèdent
sans arrêt. Il semble que Teilhard ait enfin trouvé dans
Paris, après l'autre guerre, son milieu naturel d'épa-

1. Cité par Cuénot, *op. cit.*, pp. 55-56.

nouissement. Il y est en rapports étroits avec les maîtres de Louvain; au contact de la pensée qui se forme, ayant lui-même beaucoup à donner, et plus encore à recevoir. C'est au cours de ces années décisives qu'il cesse, sur tous les plans, d'être un simple apprenti pour devenir un maître lui-même. Cependant, il va lui falloir quitter tout cela, pour ne le retrouver que de loin en loin, et toujours avec la même joie, à travers une existence qui est désormais lancée sur les grands chemins du monde. Ce départ était sans doute nécessaire, à bien des points de vue. Il a été volontaire. Mais avant d'aborder cette dernière période, la plus longue et la plus féconde de la vie de Teilhard, il est bien permis de jeter un regard plein de nostalgie sur cette chambre du dernier étage, au 13 de la rue du Vieux-Colombier, où Teilhard a passé quelques-unes des années les plus ardentes de sa vie et où il a vu se confirmer, au contact des meilleurs esprits de cette époque, les idées qui avaient germé dans la boue des tranchées et les loisirs de l'arrière.

CHAPITRE III

LA SAISON DES FRUITS
(1923-1955)

Sɪ, fermant à demi les yeux
et relâchant les liens de ma conscience, j'abandonne
mon imagination à elle-même, à ses plis anciens, à ses
réminiscences, je sens remonter en moi des souvenirs
imprécis de longs voyages, quand j'étais enfant. Je revois
l'heure où, dans les gares, les feux multicolores s'allument
pour guider les grands trains pressés vers un matin presti-
gieux et enchanté. Peu à peu les tranchées illuminées de
signaux se confondent en mon esprit avec une vaste ligne
transcontinentale qui mènerait excessivement loin... quelque part au-delà de tout.

Et mon rêve se précise.

La crête dévastée dont la silhouette de plus en plus
violacée meurt dans le jaune pâlissant du ciel est devenue
tout à coup le plateau désertique où j'ai si souvent nourri,
comme en un mirage, mes projets de découverte et de
science, en Orient. L'eau qui blanchit dans la vallée, ce
n'est plus l'Aisne, c'est le Nil dont le miroir lointain
m'obsédait comme un appel des Tropiques. Je me crois

maintenant assis au crépuscule vers El Guiouchi, sur le
Mokattam, et je regarde vers le Sud.

...C'est fait. Je me suis trahi.

Le « moi » énigmatique et importun qui aime obstinément le front, je le reconnais : c'est le moi de l'aventure
et de la recherche, celui qui veut toujours aller aux extrê-
mes limites du monde, pour avoir des visions neuves et
rares et pour dire qu'il est « en avant » [1].

Comment ne pas rapprocher de ce texte, que l'on
pourrait indéfiniment commenter, celui-ci, de Paul
Claudel, cet autre voyageur, cet autre grand exilé
volontaire :

Mais il y a aussi un homme qui n'a jamais su se défen-
dre contre la mer !

Il y a un homme qui est professionnellement hors de tout
et son domicile est de n'être pas chez lui.

Nulle tâche n'est en propre la sienne, c'est lui éternelle-
ment l'Amateur, et l'Invité partout, et le Monsieur pré-
caire : l'exil seul lui enseigne la patrie.

Tant d'œuvres diverses l'ont reçu et tant de gens dispara-
tes l'ont accueilli !

Il y a des moments où l'on aurait presque juré que c'était
sérieux et l'on se serait habitué peut-être à le traiter sur
un pied d'égalité,

Mais lui avec un sourire de plus en plus aimable et des
mots qui se rapportent de moins en moins à ce qu'on
lui dit, brûle du seul désir de s'en aller.

---

1. *La Nostalgie du Front*, septembre 1917, cité par
Marguerite Teillard-Chambon, dans *Lettres de voyage*,
p. 12.

Donc à lui de nouveau le ponton sous ses pieds qui oscille
    et l'échelle au flanc noir des transatlantiques!
A lui le quai pendant que le train s'ébranle et la longue
    paroi de tôle marron qui lui passe à deux centimètres
    du nez!
A lui l'absence de nouveau revêtue et cette déréliction
    entre le buffet et la marchande de journaux comiques,
Ces trois minutes qu'on se donne avant de recommencer
    à penser[1].

Voici donc Teilhard parti, lui aussi, pour ne plus
revenir. Certes, en apparence, oui il reviendra, et
même plusieurs fois, et même bientôt. Mais comment
ne pas sentir, lorsqu'on tient cette vie tout entière,
jusqu'au bout, dans sa main, que ce départ pour la
Chine, en 1923, est un départ définitif? Sa chaire de
l'Institut catholique, il ne la retrouvera jamais. Celle
qu'on lui offrit, beaucoup plus tard, au Collège de
France, il n'y montera jamais. Il y avait eu deux dé-
parts provisoires, autrefois : l'Égypte d'abord, qu'il
évoque avec nostalgie dans les lignes que nous venons
de citer; et puis le Front lui-même. De 1919 à 1923,
il avait un moment cru s'asseoir, peut-être, dans ce
Paris dont il aimait la fièvre intellectuelle et où il
regrettera toujours de revenir si peu et si rarement.
Mais déjà arrivaient de Chine des fossiles envoyés au
laboratoire de Boule par un étrange jésuite, le Père Licent, et Teilhard était chargé de les identifier et de les

---

1. Paul CLAUDEL, *La Messe là-bas*, *Œuvre poétique*.
pp. 495-496.

classer. Le Père Licent priait son confrère de venir en
Chine pour l'aider de ses lumières. En février 1923,
Teilhard télégraphie à Licent : « Viens pour un an.
Quand partir[2] ? » Il s'est embarqué à Marseille pour
la Chine le 6 avril de cette année-là. Il arriva à
Shanghaï le 17 mai et, le 23, il était à Tientsin, où
résidait le Père Licent.

Les deux hommes ne s'entendirent guère, pour des
raisons sur lesquelles il est inutile d'insister. Ils étaient
simplement trop différents l'un de l'autre, le Père Licent collectionneur plutôt que véritable savant, très
individualiste et songeant avant tout à son musée
Hoang-ho Paï-ho; tandis que Teilhard aperçoit tout de
suite l'intérêt d'un travail en équipe avec d'autres chercheurs qui sont déjà sur place, Chinois, Américains,
Suédois. Il y prend déjà l'habitude, qui remplira sa vie
de savant, du travail en équipe, et en équipe internationale. Cette communauté de chercheurs, tous orientés
vers un même but, il y retrouve quelque chose de l'immense coopération dont la guerre lui avait montré
l'exemple et où il voit une préfigure du stade de la
coréflexion.

Il ne faut pas, du reste, oublier que le Père Licent
fut son premier guide en Chine, sans lequel, par
exemple, l'expédition scientifique dans les Ordos eût
été matériellement impossible. C'est le 12 juin au
matin que Teilhard et ses compagnons quittent Pékin,
où le Père a pris son premier contact avec le *Geological
Survey* de Chine, dont il demeurera jusqu'au bout l'un

2. Cité par CUÉNOT, *op. cit.,* p. 64.

des plus éminents collaborateurs. Ils vont explorer le vaste plateau qui s'étend dans la grande boucle du Fleuve Jaune. L'expédition fut extrêmement fructueuse au point de vue géologique. Mais c'est là aussi que Teilhard conçut *La Messe sur le monde,* l'un des sommets de son œuvre spirituelle.

Puisque, une fois encore, Seigneur, non plus dans les forêts de l'Aisne, mais dans les steppes d'Asie, je n'ai ni pain, ni vin, ni autel, je m'élèverai par-dessus les symboles jusqu'à la pure majesté du Réel, et je vous offrirai, moi, votre prêtre, sur l'autel de la Terre entière, le travail et la peine du monde[1].

On observera, une fois encore, ce rappel du Front en Chine, cette évocation de l'Aisne, qui rattache si nettement *La Messe sur le monde* aux écrits pendant la guerre. Il n'y a aucune discontinuité dans la vie de Teilhard, quels que soient les cieux sous lesquels elle se poursuit. Quand le travail scientifique devient plus intense et plus fécond, la vie spirituelle aussi s'élève.

Il n'est plus possible maintenant de suivre Teilhard à travers ses déplacements, pas à pas. Disons simplement qu'il croyait n'être parti pour la Chine que pour quelque temps, celui d'une simple expédition, et qu'il fut amené, d'accord avec son maître, Boule, et avec son recteur, Mgr Baudrillart, à prolonger de six mois ce premier séjour. Le 10 septembre 1924 Teilhard alla se recueillir à Shanghaï sur la tombe de sa sœur Fran-

---

1. *Hymne de l'Univers,* p. 17.

çoise et, le 13, il s'embarquait pour la France, où il
était de retour au mois d'octobre. Cette époque de sa
vie demeure pour nous quelque peu obscure. Il ne
reprend pas son enseignement à l'Institut catholique.
Il travaille avec l'abbé Breuil. Nous le trouvons aussi
en Angleterre. Ce qui est sûr, c'est que ses travaux
scientifiques continuent avec une fécondité croissante,
comme le prouve la longue liste de ses publications à
cette époque. Il devient ce savant de réputation internationale que nous avons connu à la fin de sa vie.

Mais ses préoccupations, comme toujours, dépassent
largement le cercle d'une étroite spécialisation. Ses difficultés avec ses supérieurs ne s'apaisent pas, bien au
contraire. C'est à cette époque qu'il devient définitivement suspect à un certain nombre d'esprits étroits
et bornés, mais malheureusement haut placés. Il lui
faut de l'héroïsme, un héroïsme du reste caché, pour
demeurer imperturbablement dans la ligne de fidélité
qu'il a choisie, sans pourtant rien sacrifier, jamais, de
ce qu'il croit vrai. C'est alors aussi que ses relations
avec Édouard Le Roy devinrent très intimes, au point
que, si le professeur au Collège de France prononça
publiquement le premier le mot de noosphère, c'est le
jésuite philosophe et géologue qui l'avait inventé, sur
le modèle de la lithosphère, qui est l'enveloppement
pierreux de la terre, comme la biosphère est son enveloppement vivant. Mais n'existe-t-il pas aujourd'hui
autour de notre globe une autre enveloppe, une enveloppe pensante, qui est justement la noosphère ?

Au cours de ces années difficiles et fécondes, le

Père Teilhard continuait son apostolat au cercle du Père Portal, le Cercle du Luxembourg, et voici le souvenir d'un témoin sur une conférence qu'y fit un jour le Père Teilhard :

Nous nous réunissions rue de Grenelle, chez le Père Portal, lazariste, directeur du groupe. Je revois sans peine, autour de la très longue table à tapis vert, nos figures de jeunes gens sages, qui cachaient autant de railleurs sans pitié, disposés à dépecer l'orateur au retour, entre la place Saint-Sulpice et la rue d'Ulm. Le Père Teilhard parla, et tout de suite il apparut qu'il comptait parmi les intrépides, non les innocents. De ma place, à une extrémité, proche de l'entrée, je voyais presque de profil sa longue et impérieuse figure. Il parlait en tenant les yeux à demi clos, habitude ecclésiastique que je n'aimais pas chez d'autres, mais qui convenait, cette fois, au ton méditatif de l'entretien. Sa parole s'adressait à lui-même avant de nous parvenir, et c'est à cette descente intérieure qu'elle devait sa force. Il ne s'agissait point de paléontologie. Ce scientifique avait choisi de nous entretenir de littérature, de la plus moderne en ce temps-là, d'André Gide et plus particulièrement des *Nourritures terrestres,* et plus singulièrement de nous montrer que la spiritualité chrétienne pouvait trouver son bien dans cet éloge du monde charnel. Non point qu'il en voulût christianiser l'auteur malgré lui. Non, mais à travers Gide, en dépit de Gide, il cherchait dans le texte les sources vives où une âme chrétienne pouvait boire. Et il en trouvait [1].

Puisque, désormais, l'Institut catholique lui est fermé, en dépit de la résistance de Mgr Baudrillart, il

1. Gabriel Germain, cité par CUÉNOT, *op. cit.,* pp. 82-83.

ne reste plus à Teilhard qu'à repartir pour la Chine, qu'à y poursuivre son œuvre scientifique. On ne veut pas, en haut lieu, qu'il s'occupe d'autre chose, et surtout pas de philosophie. On ne l'empêchera pourtant pas de découvrir, entre la science et la philosophie, son terrain propre, qui est celui de la phénoménologie, telle qu'il l'entend. Mais nous n'y sommes pas encore et il faut noter que ce fut pendant l'hiver 1926-1927, à Tientsin, qu'il écrivit la plus profonde et la plus complète de ses œuvres spirituelles, *Le Milieu divin*. Malgré les avis favorables de Louvain et notamment du Père Charles, *Le Milieu divin*, dont Teilhard écrivait à un ami, en 1934 : « Le Milieu Divin, c'est exactement moi-même » ne put jamais être publié du vivant du Père. Tout à la fin de sa vie, en mars 1955, il écrivait encore :

Il y a longtemps déjà que, dans *La Messe sur le monde* et *Le Milieu divin*, j'ai essayé, en face de ces perspectives encore à peine formées en moi, de fixer mon admiration et mon étonnement.

Aujourd'hui, après quarante ans de continuelle réflexion, c'est encore exactement la même vision fondamentale que je sens le besoin de présenter et de faire partager, sous sa forme mûrie, une dernière fois.

Ceci avec moins de fraîcheur et d'exubérance dans l'expression qu'au moment de la première rencontre.

Mais toujours avec le même émerveillement, et la même passion [1].

1. Cité dans *Œuvres*, t. 4, pp. 202-203.

Si vous voulez voir le Père Teilhard tel qu'il apparaissait lors de ce deuxième voyage en Chine, nous pouvons emprunter son portrait d'alors à Henry de Monfreid, qui le rencontra précisément à ce moment-là, et ne tarda point à devenir son ami :

J'avais remarqué sur le pont des secondes, où abondent les ecclésiastiques et les bonnes sœurs, un grand diable d'abbé, maigre et vigoureux, dont les allures avaient quelque chose de trop viril et de trop libre pour ne pas faire un singulier contraste avec la componction et les gestes onctueux laissés par le séminaire comme la marque indélébile du sacerdoce. J'avais regardé avec sympathie cette longue figure énergique et fine où les traits, accentués de rides précoces, semblaient taillés dans le bois dur. L'œil pétillant et vif avait quelque chose de rieur sans être ironique; il exprimait l'indulgence et la bonté. Ce prêtre ne portait point de soutane, mais ce costume civil qui distingue les jésuites[2].

Plus tard, en 1928-1929, Henri de Monfreid devait faire avec le Père Teilhard une croisière de deux mois à la recherche des gisements paléontologiques des bords du golfe de Tadjoura et en mer Rouge. Il écrit :

Pendant ces deux mois de solitude devant les déserts les plus hostiles à l'être vivant, ce grand esprit me suggéra des idées nouvelles, et la profondeur de sa pensée, exprimée si simplement, me fit sentir l'insondable mystère de l'univers. Quand le soir, la barque à l'ancre dans quelque crique sauvage, j'écoutais la voix de cet apôtre, je

2. Cité par Cuénot, *op. cit.,* p. 87.

sentais par-dessus tout son inépuisable indulgence envers les hommes. Cette bonté si pure, tel le diamant que rien n'entame, m'a fait trouver la volonté et la force de me vouloir meilleur [1].

Ce témoignage a son prix, parmi d'autres. Il nous fait voir, comme par ailleurs les *Lettres de voyage*, Teilhard vivant, en ce milieu de sa vie, à la veille de la découverte du Sinanthrope. Il s'intéresse à tout et, d'une certaine manière, il est tout à tous. Rien ne lui échappe du pittoresque des pays qu'il traverse, des populations qu'il coudoie. Il poursuit son œuvre scientifique. Malgré les difficultés qu'il rencontre, il n'abandonne pas, bien au contraire, ses vues apostoliques. Par exemple, au cours de ce deuxième séjour en Chine, il écrit de Tientsin, le 7 août 1927, revenant de l'ouest de la Chine et trouvant à son retour un courrier abondant :

... De côtés très divers (Lyon (théologie), Paris, Angleterre) des lettres me montrant la soif des croyants et des incroyants pour une Église conquérante et pleinement humaine. C'est que, si je n'ai pas eu beaucoup le temps de penser, depuis trois mois, en revanche, j'ai éprouvé un tassement et une clarification de mes idées, les éléments importants prenant leur vraie valeur. Et alors je perçois plus distinctement combien ma vie intérieure est définitivement dominée par ces deux montagnes jumelles : une foi illimitée en Notre-Seigneur, animateur du monde, et une foi inconfusible au monde (spécialement humain)

---

1. *La Cargaison enchantée*, p. 226.

animé par Dieu. *Opportune et importune,* comme dit saint Paul, je me sens résolu à me déclarer « croyant » en l'avenir du monde malgré les apparences, malgré une fausse orthodoxie qui confond progrès et matérialisme, changement et libéralisme, perfectionnement humain et naturalisme...

Je n'ai d'autre ambition que celle de laisser derrière moi la trace d'une vie logique, toute tendue vers les grandes espérances du monde. Là est l'avenir de la vie religieuse humaine. J'en suis sûr comme de mon existence.

Cette vie, nous essayons d'en montrer la logique, à travers les difficultés qui ne cessent pas et dans une alternance entre la Chine, où, de plus en plus, le Père Teilhard se détache du Père Licent et de Tientsin pour se rattacher à Pékin et Paris, alternance qui paraît à Teilhard devoir constituer désormais le rythme propre de son existence et qui fut effectivement à peu près respectée jusqu'en 1939.

Voyez-vous, écrit-il le 12 novembre 1926, je désire essentiellement garder mes racines à Paris, où j'ai toute ma vraie vie, ma meilleure puissance d'action, et les moyens indispensables à l'achèvement de mes travaux.

Le 31 décembre de la même année :

Je proposerai le plan suivant : qu'on me laisse à Paris le temps de publier mes récoltes et de reprendre contact avec le milieu scientifique (dix-huit mois), et que je reparte en Chine pour d'autres dix-huit mois (je trouverais l'argent du voyage).

Et encore, le 16 janvier 1927 :

Tout ce que je veux chercher à sauver, ce sont mes *racines* à Paris. Scientifiquement, elles me sont nécessaires, car je ne puis rien achever ici comme déterminations et publications; — et d'autre part ma capacité de recherche est liée au contact que j'arriverai à maintenir avec le milieu géologique d'Europe. Je vais donc proposer le plan suivant, qui s'est présenté de plus en plus distinctement à moi depuis novembre : osciller entre Paris et Tientsin, avec siège social dans le deuxième endroit, si on y tient; — c'est-à-dire continuer ce que je fais depuis 1923 [1].

En réalité le Père Teilhard s'intégrera de plus en plus au milieu scientifique international, très actif, qui fonctionne à Pékin et qui comprend trois centres; le *Geological Survey*, dont il sera nommé conseiller scientifique en 1929, lors de son troisième voyage en Chine, au lendemain de la découverte du Sinanthrope de Choukoutien; l'Institut médical Rockefeller (américain-chinois) et l'Université chinoise libre (de fondation américaine). Il y a, de plus, des missions temporaires et enfin les chercheurs qui appartiennent aux trois centres scientifiques permanents, se regroupent encore d'une autre façon entre la Société géologique, la Société d'Histoire naturelle et l'Institut de recherches préhistoriques. Teilhard est étroitement mêlé à cette vie scientifique intense et l'on peut dire qu'il y reprend et y continue magnifiquement l'œuvre des

1. Citations empruntées à C. Cuénot, *op. cit.,* p. 88.

grands jésuites du XVIIᵉ siècle, qui avaient joué un si grand rôle dans la Chine des Ming. Entre tous les savants avec lesquels Teilhard fut alors en relations en Chine, il faut faire une place à part au Canadien Black, dont le Père, après sa mort, devait faire cet éloge : « Personne ne paraît en mesure, aujourd'hui, de nouer tant de fils que cet homme, suprêmement lucide et actif, avait réussi à rassembler entre ses mains[1]. » Cet homme que Teilhard disait irremplaçable, on peut se demander si lui-même ne l'a pas pourtant, dans une certaine mesure, remplacé.

Il n'est pas possible, à coup sûr, de suivre à présent Teilhard dans ces oscillations régulières de sa vie entre Paris et Pékin. Mais il faut pourtant insister sur l'importance extraordinaire, à tous égards, du troisième séjour de Teilhard en Chine en 1929-1931, parce que ce fut alors qu'il fut associé aux recherches capitales sur le Sinanthrope que l'on venait de découvrir à Choukoutien et que nous observons aussi, à la même date, sans qu'il y ait nécessairement un lien entre les deux choses, un apaisement intérieur presque parfait.

En ce qui concerne le Sinanthrope, il serait trop long et un peu fastidieux de faire l'historique de cette découverte. Elle n'est pas le fait d'un savant isolé, pas plus du Père Teilhard que d'un autre. Elle témoigne, au contraire, du caractère collectif et international de la recherche actuelle. Teilhard était depuis longtemps convaincu de cette vérité, mais l'expérience de Chine,

---

1. Cité par CUÉNOT, *op. cit.*, p. 100

et celle de Choukoutien en particulier, devait le confirmer dans cette certitude. Quant au rôle précis qu'il
a joué dans la découverte collective, le mieux est, je
crois, de reproduire ici une page de Claude Cuénot,
qui a le mérite de bien mettre les choses au point. Le
Père Teilhard vient d'accueillir à Pékin son jeune confrère, le Père Leroy, qu'il connaissait depuis 1928 et
avec lequel il avait noué une amitié qui devait durer
jusqu'à la mort de Teilhard :

... Teilhard l' (Leroy) emmena au laboratoire du Céno-
zoïque. Le Père demanda alors à son grand ami Pei Wen-
Chung, directeur des travaux d'excavation :
    — Qu'y a-t-il de neuf dans les fouilles ?
    — Rien, répondit Pei.
    — Et cependant ?
Pei hésita, ouvrit un tiroir, et négligemment déposa
sur la table un petit caillou de quartzite. Le Père le prit,
l'examina et s'exclama : *Ceci est très important. Voici
une pierre taillée,* demandant la localisation exacte. On
fit des recherches dans ce sens, et effectivement on dé-
couvrit des centaines de kilos de pierres taillées, et des
traces de feu. Des pièces furent envoyées à l'abbé Breuil,
qui les reconnut comme travaillées. Le *Sinanthropus* était
donc *faber*. Ainsi le Père Teilhard est à l'origine de ces
trouvailles [1].

Il faudrait ici parler du regard, extraordinairement
aigu et lucide, du Père Teilhard. Un regard de savant,

---

1. C. CUÉNOT, *op. cit.,* p. 129.

certes, mais aussi un regard en quoi paraissait se concentrer parfois le génie de cet homme. Il est frappant d'observer, à la lecture de ses œuvres, combien il insiste sur le juste point de vue auquel il convient de se placer quand on veut comprendre un phénomène, de quelque nature qu'il soit. On ne voit rien si l'on regarde de trop près; rien non plus si l'on s'est placé trop loin. Il existe une place juste, et une seule. C'est ce qui permit à Teilhard de découvrir une pierre taillée dans le fragment de quartzite que lui présentait Pei.

Tout contribuait donc, à cette époque particulièrement féconde, à « centrer » le Père Teilhard sur les préoccupations qui devaient être les siennes jusqu'à la fin de sa vie. Il a écrit dans *Le Cœur de la Matière* :

Jusqu'en 1935, dans le *Credo* raccourci placé en exergue de *Comment je crois* (en réalité, *Comment je crois* est daté d'octobre 1934) (et bien que l'Essai lui-même s'appuie explicitement, dans son argumentation, sur le Phénomène Humain), le mot *Homme* ne figure pas. Aujourd'hui, je dirais :

... Je crois que l'Évolution va vers l'Esprit.

Je crois que l'Esprit, *dans l'Homme,* s'achève en Personnel.

Juste un trait de plus, mais qui suffit à nous faire sortir sans équivoque du métaphysique, pour nous installer dans l'historique, le biologique, le planétaire.

Il faut en croire ce témoignage. Mais, comme les grandes découvertes intérieures ne se font pas d'un

seul coup, on peut bien admettre aussi que la découverte de l'humain a été lente et progressive. En un
certain sens l'itinéraire que nous tentons sommaire-
ment de retracer nous montre déjà une série d'étapes :
tout d'abord, avant la guerre, la découverte du Féminin; pendant la guerre, la découverte de la communauté des hommes; à présent, sur le plan scientifique,
cette découverte de Choukoutien qui mettait au premier plan des préoccupations scientifiques du Père,
l'origine de l'homme. Mais il y avait aussi, et en quelque sorte parallèlement, un travail spirituel qui s'ache-
vait. Après avoir espéré un moment que rien ne s'oppo-
serait à la publication du *Milieu divin*, Teilhard avait
dû se rendre compte que ce travail ne serait jamais
publié, du moins de son vivant. Si ses liens avec Paris
n'avaient pas été définitivement rompus, il était néanmoins obligé de se plier à cette oscillation permanente
entre Paris et Pékin, qui répondait sans doute à certaines tendances profondes de sa nature, qui facilita
certainement, d'une manière paradoxale, son travail
scientifique et même sa maturation spirituelle, mais
enfin qu'il n'avait pas souhaitée, qui constituait un pis-
aller. On devine que, dans ces conditions, il souffrit
beaucoup intérieurement. Il avait de plus en plus
nettement conscience d'une mission qu'il avait à remplir et le moins que l'on puisse dire, c'est que les auto-
rités auxquelles il était soumis ne la facilitaient pas.
Rien de plus normal, dans ces conditions, que des mou-
vements naturels de révolte. Or précisément nous les
voyons s'apaiser vers 1929-1930. Nous entrons alors

décidément dans la dernière période de cette grande existence, période de foi et d'apaisement, mais dont on ne répétera jamais trop au prix de quelles douleurs ils furent acquis.

Tel était l'homme qui allait être désigné comme géologue de l'expédition Haardt-Citroën, la fameuse « Croisière jaune ». Il vient d'atteindre cinquante ans. Il est grand, très grand, maigre, sec et semble d'une résistance physique à toute épreuve, bien qu'il y ait, dans ses traits ascétiques, quelque chose de délicat et même d'un peu fragile, dominé par une volonté de fer. Il est aimable, accueillant, sourit volontiers sans malice, et l'on pourrait le prendre pour un religieux homme du monde et savant si les traits de son visage, prématurément creusés, n'attestaient une brûlante vie spirituelle et n'étaient comme sculptés par une flamme intérieure, ce feu qui brûle dans son regard gai, mais sombre. Cet homme est habité par une grande foi : celle qu'on lui suppose, sans doute, d'après l'habit qu'il porte, et sur laquelle il est habituellement fort discret; mais une autre aussi, qui ne contredit pas la première et qui est toute personnelle. Nous l'avons déjà rencontrée plusieurs fois au cours de ces pages, cette affirmation d'une vocation particulière. La voici, une fois de plus exprimée dans *Mon Univers* (1924) :

Une tendance spirituelle a cherché à prendre figure en moi que d'autres, plus tard, noteront plus heureusement que moi. En vérité, je le sens, ce n'est pas moi qui ai conçu ces pages; mais c'est, en moi, un homme plus grand que moi, un homme que j'ai reconnu, toujours le même, cent fois autour de moi. Si limitée qu'elle soit, mon expérience des dix dernières années m'a prouvé que, soit dans le christianisme, soit en dehors de lui, un nombre insoupçonné d'esprits se nourrissent (plus ou moins explicitement) des mêmes intuitions et des mêmes pressentiments que ceux qui ont rempli ma vie. Parce que le sort m'a placé à un carrefour privilégié du monde où, en ma double qualité de prêtre et d'homme de science, j'ai pu sentir passer à travers moi, dans des conditions particulièrement exaltantes et variées, le double flot des puissances humaines et divines; parce que, dans cette situation de choix à la frontière de deux mondes, j'ai trouvé des amis exceptionnels pour ouvrir ma pensée, et des loisirs prolongés pour la mûrir et la fixer; je pense que je serais infidèle à la vie, infidèle aussi à ceux qui ont besoin que je les aide (comme d'autres m'ont aidé) si je n'essayais pas de leur transmettre les linéaments de la splendide figure qui s'est découverte devant moi dans l'Univers au cours de vingt-cinq ans de réflexions et d'expériences de toutes sortes.

Donc, le 12 mai 1931, le Père Teilhard part avec le groupe chinois de la Croisière jaune, de Kalgan, au nord-ouest de Pékin. La croisière s'avancera jusqu'à Aksou, au fin fond du Turkestan chinois, où elle parviendra le 2 octobre. Le retour s'effectuera par un itinéraire quelque peu différent et l'expédition s'achèvera à Pao-Téou, non loin de Pékin, le 28 janvier 1932. Ce n'est pas ici le lieu de faire, après tant d'autres, le récit de cette expédition qui eut, à l'époque, une si légitime renommée. Le Père Teilhard s'y montra simplement

égal à lui-même, nouant avec ses compagnons les relations les plus confiantes et même les plus gaies, tout en
demeurant sollicité par ses préoccupations propres :
préoccupations scientifiques et préoccupations religieuses. Il écrit, par exemple, ceci, d'Aksou, le 24 septembre 1931 : « Rédigé un mémoire sur la première partie du voyage qui me donne une idée plus nette des
problèmes à surveiller au retour. *La Prière dans la
durée* (qui, en fait, ne fut jamais écrite) est presque
achevée dans ma tête. J'ai clairement fait un pas, d'autre part, dans la conscience que je suis maintenant sur
la pente descendante de la vie. » D'Urumchi, un peu
plus tard : « L'essentiel pour moi c'est que je puisse
maintenant faire entrer l'Asie centrale dans mes constructions géologiques personnelles : ceci vaut bien
une année de vie, même à cinquante ans... » Enfin le
16 janvier, de Ning-Hia :

Nous revenons. Les fascinantes crêtes du Tian-Shan
sont loin derrière nous, et par un temps glacial, mais
admirable, nous progressons lentement vers l'est... Ces
neuf derniers mois compteront parmi les plus austères
et les plus fructueux de ma carrière. Beaucoup d'occasions manquées : nous avons été écrasés par la mécani-
que. Mais quelle compensation pour moi d'avoir maintenant une vue personnelle de l'immense zone qui va
de Kashgar à Tsitsikar.

Et encore, dans une lettre à son frère :

Embarqué dans les chenilles comme j'aurais enfourché
un chameau, je ne demandais en somme à l'expédition

que de me transporter à travers l'Asie. De ce côté-là,
j'ai été assez bien servi. J'ai souvent rongé mon frein de
ne pouvoir aller jusqu'au bout des merveilleuses occasions que je tenais. Mais, comme on a dit justement :
« Les inconvénients d'une chose font partie de cette
chose. » Finalement, j'ai à peu près doublé mes connaissances sur l'Asie. Dix mois de vie, même à cinquante
ans, ne sont pas trop chers pour payer cela.

L'expédition avait, en effet, permis à Teilhard de
compléter ses connaissances, au point de pouvoir,
désormais, mener à terme une géologie d'ensemble de
la Chine. Il n'est pas possible ici de donner une idée,
même sommaire, de sa production scientifique de cette
époque. Mais elle est considérable et magistrale, en
dépit de déplacements presque continuels, où il est
difficile de le suivre. En effet, de septembre 1932 à
février 1933 Teilhard est en France, puis repart pour
la Chine. En juillet de la même année, il est invité à
Washington pour un congrès géologique. C'est là son
premier contact avec les États-Unis, où il retrouve
beaucoup de savants qu'il a connus à Pékin ou ailleurs.
Il écrit à ce sujet à Max et Simone Begouën :

Mon séjour en Amérique m'a beaucoup intéressé à
toutes sortes de points de vue. Au congrès, j'ai rencontré
beaucoup d'anciens et de nouveaux amis et, soit à
Washington, soit en Californie (où je suis resté près
d'un mois), j'ai amorcé une série de travaux qui peuvent
élargir notablement mon action scientifique. Ensuite j'ai
pris un fort contact avec la géologie de la côte du Paci-

fique (ce qui était mon objectif principal) dans un merveilleux cadre de lumière et de lignes (ce qui n'est pas négligeable). Humé l'odeur des forêts de séquoias, et « flairé » les dernières traces du « gold rush » en Sierra Nevada. L'Amérique est un pays de fraîcheur et d'épanouissement. J'y ai respiré positivement un air qui manque à la France. De l'expérience Roosevelt, je n'ai rien pu distinguer clairement, sinon la puissance et la science des moyens employés pour bourrer le crâne populaire. J'emporte l'impression d'un bel effort qui a beaucoup de chances de réussir. Quelque chose est certainement en branle, comme une force commune, aux États-Unis. Le travail reprend. Et en janvier on boira du vin. En attendant, rien n'est drôle comme de voir l'air moitié boudeur, moitié riant des libres Yankees en se réveillant sous une dictature.

On voit que le Père Teilhard ne s'intéressait pas seulement aux phénomènes géologiques, et l'on aurait pu faire la même observation en Chine. Il semble, du reste, qu'au fur et à mesure que les années passent, il devient non seulement de plus en plus attentif à l'humain, mais de plus en plus sensible aux événements dont il est le témoin. Nous sommes loin de l'époque où, en Egypte, il ne voyait que le désert et les falaises de la vallée du Nil. D'Amérique il revient en Chine pour y voir mourir subitement, en mars 1934, le Dr Black, avec lequel il s'était lié d'une si chaude et profonde amitié. En attendant que soit nommé son successeur, c'est au Père Teilhard qu'incombera toute la direction des fouilles en même temps que celle des

laboratoires. Mais la mort de Black éveille chez lui de
bien autres réflexions. A l'abbé Breuil il écrit, le
18 mars 1934 : « Mais quelle chose absurde, en apparence, que la vie! Tellement absurde qu'on se sent
rejeté sur une foi opiniâtre et désespérée en la réalité
et les survivances de l'esprit. Autrement (s'il n'y a pas
un Esprit, veux-je dire) il faudrait être des imbéciles
pour ne pas faire grève à l'effort humain. » Et à ses
amis Begouën, un peu plus tard :

Je veux dire une « réalisation » concrète et aiguë de
l'immense vanité de l' « effort humain », s'il n'y a pas
une issue naturelle en même temps que surnaturelle de
l'Univers vers quelque conscience immortelle. Dans le
désarroi qui a suivi la mort de Black, dans l'étouffante
atmosphère des regrets « agnostiques » dont on l'entourait, je me suis juré, sur le corps de mon ami, de lutter
plus que jamais pour donner une espérance au travail et
à la recherche humaine.

Je ne sais si le lecteur se rend bien compte de
l'extraordinaire plénitude d'une vie constamment partagée entre le travail scientifique et l'approfondissement vécu de certaines idées essentielles. D'autant que,
si le Père Teilhard augmente sans cesse le nombre de
ses amis, s'il pénètre des milieux de plus en plus divers,
il reste en butte, d'autre part, à la suspicion de certains
cercles religieux et il continue de ne pouvoir à peu
près rien publier de ce qui lui tient le plus à cœur.
Bien sûr, le Père Maréchal, de Louvain, lui écrit :
« Nul ne tient aujourd'hui en mains, comme vous,

toutes les données théologiques, philosophiques, scientifiques du problème de l'évolution. » Et Teilhard ajoute : « C'est évidemment cette situation admise (sinon vraie), qu'il serait intéressant pour l'Église d'utiliser. » Et quelques jours plus tard, il écrit : « Je ne vois toujours que la même issue : aller toujours de l'avant, en croyant de plus en plus. Que le Seigneur me garde seulement le goût passionné du monde, une grande douceur, et m'aide à être jusqu'au bout pleinement humain. »

Nouveau séjour en France, très bref. Et puis, de nouveau, en septembre 1935, Teilhard repart pour l'Orient. Mais, cette fois, ce n'est pas vers la Chine qu'il se dirige, c'est vers l'Inde du Nord :

Et me voici encore une fois rendu à mon existence vagabonde. L'enthousiasme n'a plus sa fraîcheur d'antan. Mais j'aime à suivre la destinée et à m'y fier. Jamais, en fait, je n'ai moins su où elle me menait. Probablement vers rien autre chose que de nouveaux déplacements, jusqu'à ce que je finisse au bord d'une route. Mais ceci même, peut-être, a sa signification.

Cependant, plus que jamais, Teilhard est attentif à tout, au cours de ce voyage, qui le conduira au Cachemire, dans la vallée de l'Indus et jusqu'au pied de l'Himalaya. Il étudie maintenant le sud de l'Asie, comme il en avait, naguère, étudié le nord. C'était avec Helmuth de Terra. Mais voici que Koenigswald l'invite à venir à Java examiner sur place les trouvailles qu'il y a faites. Au retour, le 21 janvier 1936, Teilhard écrivait à son frère Joseph :

En résumé, tant dans l'Inde avec de Terra qu'à Java avec Kœnigswald, je suis tombé à pic sur deux des secteurs les plus brûlants du front de la préhistoire, et juste au moment d'offensives décisives auxquelles j'ai pu participer. Ceci augmente considérablement mon expérience et ma plate-forme. Mais je n'en tire au fond qu'une médiocre satisfaction. De moins en moins ma science (à laquelle je dois tant) me paraît un but suffisant à l'existence. Le vrai intérêt de ma vie est depuis longtemps déjà un certain effort pour une meilleure découverte de Dieu dans le monde. C'est plus brûlant, mais là est la seule vocation que je me connaisse. Rien ne saurait m'en faire dévier.

C'est pendant la longue traversée qui, de Java, le reconduit en Chine, que Teilhard médite ce qui va devenir *L'Esquisse d'un Univers personnel,* une de ses œuvres maîtresses. A peine est-il arrivé qu'il apprend la mort de sa mère (7 février 1936). Le 17 août suivant, il est de nouveau frappé par la mort de sa sœur Marguerite-Marie, qui était depuis de longues années immobilisée sur son lit de malade, à Sarcenat, et qui avait écrit *L'Énergie spirituelle de la souffrance* [1]. On aura, je pense, remarqué comme ce titre est teilhardien. En effet, l'une des préoccupations majeures de

---

1. Ce titre, si teilhardien, en effet, est de Teilhard lui-même.

Teilhard, et précisément au cours des vingt dernières
années de sa vie, sera d'étudier l' « Énergie spirituelle ». *L'Énergie humaine* sera justement écrite en
1937. Par ailleurs la vie du Père ne cesse pas d'être
aussi vagabonde que nous l'avons vue jusqu'ici. Bien
que la Chine soit désormais coupée en deux par l'invasion japonaise, Teilhard continue ses campagnes de
fouilles et il écrit :

Je suis excédé par l'agitation humaine d'aujourd'hui
(et beaucoup de mes amis pensent comme moi) et je
souffre de voir tant d'hommes, sous la pression des faits,
retomber dans un conservatisme traditionnel. Il semble
donc que le moment est venu de trancher franchement
au milieu de la vieille étoffe. Fascisme, communisme,
démocratie ne signifient plus rien. Je rêverais de voir le
meilleur de l'Humanité se regrouper sur un esprit défini
par les trois directions suivantes : universalisme, futu-
risme, personnalisme, et se rallier au mouvement politique, économique qui se montrera techniquement le plus
capable de sauver ces trois conditions. Il y a vraiment
quelque chose à dire là-dessus. Je le sens et je le sais.

Ce sera l'opuscule *Sauvons l'Humanité*.
En mars 1937 Teilhard se rend une nouvelle fois
aux États-Unis pour y assister, à Philadelphie, à un
congrès sur l'homme fossile. De là il rentre directement en France par *Normandie;* puis, au début de
l'été, repart pour la Chine, dont la situation est de
plus en plus troublée. A la fin de l'année et au début

de 1938, il rejoindra de Terra en Birmanie. Il passe
encore une fois par Java et retourne à Pékin, où la
situation est de plus en plus mauvaise. Comme le
travail sur le terrain est presque impossible, Teilhard
utilise ses loisirs à rédiger des mémoires de paléontologie et surtout à écrire son grand ouvrage; qu'il
appelle *L'Homme,* dans sa correspondance, mais qui
sera *Le Phénomène humain.* De très nombreux voyages encore, aux États-Unis et en France, jusqu'à cet
été de 1939, où l'éclatement de la seconde guerre
mondiale immobilisera Teilhard à Pékin pour des
années.

Ce fut là pour lui une période décisive, presque autant que la première guerre mondiale, mais en un sens
tout différent. Il avait été engagé directement dans la
précédente; il occupe, par rapport à celle-ci, une position en quelque sorte latérale. L'invasion japonaise en
Chine présente quelque analogie avec l'invasion alle-
mande en France. Ce qui permet à Teilhard de se
représenter assez nettement celle-ci et ses conséquen-
quences immédiates. Mais tout d'abord, il s'est remis
à son travail, puisqu'il n'y a pas autre chose à faire.
Les opérations sur le terrain sont devenues de plus en
plus difficiles. Aussi le Père se concentre-t-il sur la
rédaction du *Phénomène humain,* tout en créant avec
le Père Leroy, à Pékin, un Institut de Géobiologie,
dont le titre est bien teilhardien, puisqu'il s'agit d'une
synthèse.

Mais dès que Teilhard, qui vient de mettre le point
final au *Phénomène humain,* apprend la débâcle fran-

çaise, il réagit et écrit, notamment, à ses amis Begouën,
le 20 septembre 1940 :

Une chose dont je ne doute pas, c'est que vous réagissez
de toutes vos forces à la défaite et que vous cherchez à
voir une issue vers une renaissance qui ne soit pas une
bourgeoise « *restauration* ». A distance, c'est le spectre
de cette « restauration » qui m'inquiète le plus. Les formules de Vichy décalquées sur manuels pour enfants
sages me paraissent manquer absolument de la flamme
qui seule peut faire apparaître les vertus qu'on prêche
avec tant de raison... Je garde la ferme espérance que
le mot attendu finira par être trouvé et que nous abou-
tirons à une création, non à une réaction. Il y avait de
trop beaux germes en France il y a un an pour qu'un
retour au christianisme ne signifie pas finalement un
rebondissement de large et progressive humanité.

Mais il ne s'agit pas, pour Teilhard, de rester un
observateur qui, comme il le dit, de Pékin, voit les choses comme on pourrait les voir de Sirius. Il s'engage
aussitôt et, le 18 octobre 1940, il écrit à sa cousine
Marguerite :

Verrons-nous enfin sortir la figure et entendrons-nous
prononcer le mot que nous attendons depuis si longtemps ? J'espère. Jamais peut-être, depuis deux mille ans,
la Terre n'a eu plus besoin d'une foi nouvelle et n'a été
plus dégagée des vieilles formes pour la recevoir... Le
christianisme doit se montrer avec toutes ses ressources
de renouvellement, maintenant ou jamais : Dieu, le

Christ, se posant en foyer de salut, non seulement indivi-
duel et « surnaturel », mais collectif et terrestre aussi,
et une nouvelle notion par suite de la charité (incorpo-
rant et sauvant le sens de la Terre). Tout cela résumé et
concrétisé dans la figure du Christ universel. Je ne vois
pas d'autre issue aux problèmes et aux aspirations du
moment, et *je ne me lasserai pas de le dire, ou au moins
d'essayer de le dire.*

Les quelques illusions que Teilhard avait pu, de
loin, se faire sur Vichy, sont tôt dissipées. Le 20 novembre 1940, il écrit à sa cousine :

De loin, on demeure un peu sceptique sur la réalité et
la profondeur des changements qu'on proclame dans la
conscience française. Cette belle sagesse m'a encore l'air
un peu plaquée du dehors, et il me semble que la vraie
âme de demain (en laquelle je crois) n'a pas encore commencé à se manifester. En tout cas, ce n'est pas une restauration qu'il nous faut, mais une renaissance, pas de la
sagesse, mais une foi passionnée en quelque avenir.

Un congrès s'étant réuni à New-York, en septembre 1941, qui groupait des savants, des philosophes et
des théologiens qui devaient tenter de dégager les termes d'un Credo universel humain, Teilhard n'obtint
pas de ses supérieurs l'autorisation d'y prendre part.
Du moins écrivit-il à cette occasion un mémoire dont je
détache ces quelques lignes qui montrent bien la préoccupation fondamentale du Père Teilhard pendant toute
cette période de Pékin :

Le sens de la Terre s'ouvrant et éclatant, vers le haut,

en un sens de Dieu; et le sens de Dieu s'enracinant et se nourrissant vers le bas dans le sens de la Terre. Le Dieu transcendant personnel et l'Univers en évolution ne formant plus deux centres antagonistes d'attraction, mais entrant en conjonction hiérarchisée pour soulever la masse humaine dans une marée unique. Telle est la remarquable transformation que laisse prévoir en droit, et que commence *en fait* à opérer sur un nombre croissant d'esprits, aussi bien libres penseurs que croyants, l'idée d'une évolution spirituelle de l'Univers.

Ceci fut écrit à Pékin en mars 1941. A l'abbé Breuil, le 12 juillet de la même année, le Père Teilhard écrit :

Je sais que mon livre est bien arrivé à Rome et en révision depuis trois mois. Je n'ose espérer un avis favorable : et cependant ne serait-il pas opportun qu'un catholique parle ouvertement et chrétiennement dans un sens qui est celui de la meilleure pensée scientifique ? (Des ouvrages tournant autour de ces perspectives sortent de partout actuellement!) La question n'est déjà plus une affaire de spéculation. C'est le bouleversement même en cours qui pose le problème de l'avenir terrestre de l'Humanité. Et cependant rien ne sort pour donner une interprétation constructive, dynamiquement chrétienne des événements.

Tel sera, jusqu'au bout, l'âpre et continuel tourment de Teilhard. Il voit, il sent ce qu'il faudrait dire à ce monde qui est en proie à la plus formidable crise qu'il ait subie depuis la fin des temps paléolithiques, et il ne peut pas obtenir de ses supérieurs que sa pensée soit entendue, communiquée. On ne peut pas s'empêcher d'évoquer ici ces vers de la première version du *Père humilié* de Claudel :

Aimer, comme moi, et ne pouvoir le faire comprendre,
    avoir sa tâche, comme lui, et ne l'avoir pu faire,
Ah, c'est là le parfum mortel qui fait se rompre ces globes
    si purs.

Le Père Teilhard, sous l'épreuve, ne s'est point rompu. Je le répète une fois encore, pour n'avoir pas à le dire tout le temps, l'épreuve ne cessera pas jusqu'à la fin. Elle deviendra même de plus en plus dure. Il n'est pas exagéré de dire que Teilhard a été une manière de martyr moderne. Qu'est-ce qu'un martyr, si ce n'est un témoin ? Teilhard toute sa vie n'a pas cessé de témoigner pour ce qu'il savait être vrai, pour ce qu'il voyait être nécessaire. Autour de lui, il sent l'immense soif des hommes de son temps; mais l'eau qu'il pouvait leur donner à boire, on ne lui permet pas de la distribuer. L'exil de Pékin, de 1939 à 1946, ce fut, entre autres choses, cela. Il est possible que le Père ait trouvé, dans la colonie internationale de là-bas, quelques distractions bien innocentes; il est possible qu'il ait poursuivi avec ardeur son travail scientifique. Mais il est certain aussi qu'il apercevait, d'un regard sans cesse plus lucide, les besoins de son époque et qu'il ne lui était pas permis d'y répondre.

Il ne perd cependant ni courage ni espoir. Il écrit à
son frère Joseph, le 25 novembre 1942 :

> Travail sur le terrain impossible, sauf dans les collines
> de Pékin, où j'entretiens ce qui me reste de jeunesse en
> grimpant des côtes, mon marteau à la main. Je n'aurai
> jamais autant publié de ma vie: cinq mémoires et autant
> de notes, depuis trois ans. Je dis tout ce qui me restait à
> dire d'important, de manière à être prêt pour revenir tra-
> vailler en France à la reconstruction de l' « esprit », dès
> que la route sera ré-ouverte.

Cette route devait être longue à se rouvrir. Ce ne
fut qu'en avril 1946. Il écrivait alors à son frère
Joseph : « Ces sept ans m'ont blanchi, et intérieurement renforcé (pas durci, j'espère...). La première
guerre m'avait mis le pied à l'étrier. Celle-ci a étêté
ma vie, mais je vois mieux certaines choses centrales
et claires, et je veux y consacrer ce qui me reste à
vivre. » Le Père disait alors : « Dans ma vie, il est
cinq heures du soir. » A peine de retour à Paris, il fut
atteint d'une première crise cardiaque, qui devait l'im-
mobiliser pendant un mois et l'empêcher de répondre
à l'appel de l'abbé Breuil, qui l'invitait à venir explorer avec lui de nouveaux champs de recherche en
Afrique du Sud. « Il me faut toute la philosophie de
ma foi, écrivait le Père à son ami, le 15 juillet 1947,
pour assimiler et essayer de tourner en bien constructif
ce qui, en soi, est un vrai crève-cœur. Tout s'arrangeait
si bien, et tout était si près de se réaliser! »

Néanmoins, ce séjour à Paris, attristé par une

atteinte physique dont le Père ne devait jamais se relever, lui fut une occasion de reprendre ou de prendre contact avec les milieux intellectuels parisiens qui lui avaient, au fond, beaucoup manqué au cours de ses longues absences. Il constate avec surprise un certain retard dans la philosophie universitaire. Il s'étonne que des philosophes puissent se dire phénoménologistes « sans mentionner seulement, sans nommer la Cosmogénèse et l' « évolution ». Il estime que ces philosophes « se meuvent encore dans un univers prégaliléen ». Le voici donc obligé de lutter sur plusieurs fronts à la fois. Jusqu'à présent, il n'avait eu affaire qu'aux intégristes de France et de Rome qui, du reste, jusqu'au bout, ne lâcheront pas leur proie; maintenant il voit encore se dresser contre lui une Université sclérosée. Mais il demeure l'homme qui avait écrit, en septembre 1934 : « Cela m'est presque égal, à présent, de n'être pas imprimé. Ce que je vois est démesurément plus grand que toutes les inerties et que tous les obstacles[1]. »

En 1948, on offre au Père Teilhard la chaire du Collège de France que va quitter l'abbé Breuil. Aussitôt le Père part pour Rome, où il n'était encore jamais allé, pour solliciter de ses supérieurs l'autorisation de faire acte de candidature. J'emprunte à Claude Cuénot quelques textes sur les impressions romaines du Père Teilhard. Ils ont le mérite de mon-

[1]. Lettre citée par C. Cuénot, *op. cit.*, p. 323.

trer, mieux que ne saurait le faire aucun commentaire,
l'homme spontané, tel qu'il fut, et qui, au fond, demeure bien celui qui n'écoutait Bremond que d'une
oreille quelque peu distraite et qui séjournait en
Égypte sans voir les Pyramides, ni l'humanité orien-
tale, si colorée, qui l'entourait :

Voici déjà une douzaine de jours que je suis installé en
des lieux sacrés dont je n'aurais jamais pensé que je dusse
approcher jamais, et où j'ai été extrêmement gentiment
reçu, par parenthèse. Il est temps de vous envoyer quelques nouvelles et quelques impressions (...) Rome ne m'a
donné, ni ne me donnera, je le sens, aucun choc : ni esthé-
tique, ni spirituel. Je m'y attendais. Vis-à-vis du passé, je
suis immunisé; et vis-à-vis du pittoresque je n'ai plus rien
de quoi m'étonner, après le grand Est. En revanche, je
me suis senti immédiatement à l'aise dans ce milieu méri-
dional et coloré. Et puis, chose plus importante, j'ai
réalisé (à Saint-Pierre, seulement là) combien le christianisme est un phénomène à part (le « phénomène chrétien », j'avais raison) avec son assurance paradoxale, mais
inconfusible, et agissante, de représenter l'extrémité terrestre d'un « arc » jaillissant entre l'Homme et ce qui est
au-delà de l'Homme (...) Après Saint-Pierre — en re-
trait — c'est le Gesù jusqu'ici que j'ai le plus aimé, oui,
le Gesù, malgré ses grouillements de statues et de moulu-
res, et ses extraordinaires peintures ou fresques, qui se
prolongent (ici par une jambe, là par une aile, comme qui
dirait en carton) par-dessus corniches et colonnes. J'avoue
avoir été ému à l'autel du Père Ignace, et plus encore à
la petite chapelle de N.-D. de la Strada : tous les grands
types qui ont prié devant cette image... Souvenirs de
famille; impressions d'enfance religieuse et puis surtout,

là aussi, conscience que l'Ordre est une grande chose (...)
La Curie est un bâtiment puissant et moderne, adossé à
de jolis jardins (palmiers, mandariniers, mimosas) accro-
chés au tuf. Communauté (je suis avec les « écrivains »
(Pères se consacrant à des études sur la Compagnie de
Jésus), c'est-à-dire les rats d'archives, accouplés à la
Radio-Vatican bigarrée... mais ce sont les lieux qui veu-
lent cela; rien à dire. Des Espagnols surtout, mais aussi des
Allemands, des Suisses, des Hongrois, un Irlandais, un
Américain. Tout ce monde-là, vous disais-je, très cordial
et gentil (...) Vu une fois le Grand Chef qui m'a immédiatement conquis : franc, direct et humain... Je continue à
voir des bouts de Rome, et, petit à petit, pas mal de gens.
Avant-hier, dans une réunion, on m'a présenté à Garri-
gou-Lagrange : nous avons souri et parlé d'Auvergne [1].

On avait été, à Rome, d'autant plus aimable pour
le Père Teilhard qu'on s'apprêtait à lui refuser tout
ce qu'il était venu demander. Il ne fut pas autorisé à
poser sa candidature au Collège de France, et pas
davantage à publier *Le Phénomène humain*. Il faut
noter toutefois que l'accueil confiant qu'il avait reçu
à Rome, en particulier du Père Général, était au
moins la preuve que, si la Compagnie de Jésus se
conduisait avec une extrême prudence, elle ne reniait
pas néanmoins son illustre fils. Bien entendu, les difficultés vont continuer. Le Père n'obtient pas plus l'autorisation de publier *Le groupe zoologique humain*
qu'il n'avait obtenu celle d'éditer *Le Phénomène*

---

1. C. CUÉNOT, *op. cit.*, pp. 325-326.

humain. Il est poursuivi, ouvertement ou insidieuse-
ment par le clan intégriste, qui réussit à faire frapper
les théologiens jésuites de Fourvière. Le Père, cependant, poursuit sa tâche, dans l'Église, et non pas
contre elle. Il écrit :

Je suis donc décidé à continuer comme auparavant,
comptant sur la chance ou, plus exactement, sur la légiti-
mité de ma cause. Je sais bien que tous les hérétiques ont
dit cela. Mais généralement leur attitude n'allait pas à
grandir le Christ plus que tout, ce qui est au fond la
seule chose qu'on puisse me reprocher [1].

Pourtant, en 1950, le Père est élu membre non rési-
dent de l'Académie des sciences. Il faut voir surtout
dans cette élection l'éclatante manifestation, par une
compagnie savante, de l'estime où elle tient les travaux scientifiques du Père Teilhard. Quelles que
soient les oppositions que rencontrent ses idées les
plus chères dans l'Église, il est reconnu par ses pairs
comme l'un des plus grands. Désormais le paradoxe de
toute sa vie va devenir plus éclatant qu'il ne le fut
jamais. Les Américains, avec lesquels il a noué tant de
relations scientifiques et amicales, en Chine et aux
États-Unis, au point qu'il considère ce pays comme sa
seconde patrie, l'appellent chez eux et lui fournissent
le moyen d'accomplir enfin ce voyage en Afrique du
Sud, qu'il avait tellement désiré.

1. Lettre citée par C. CUÉNOT, *op. cit.,* p. 330.

De juillet à novembre 1951, il va donc s'initier à de nouveaux horizons géologiques et paléontologiques. De Johannesburg, il écrit à l'abbé Breuil : « L'intérêt de l'Afrique australe au point de vue des origines humaines n'a certainement pas été exagéré. » Beaucoup de Parisiens n'ont certainement pas encore perdu le souvenir de cette conférence, la dernière, qu'il ait donnée à Paris, aux Sociétés savantes, quelques semaines avant sa mort, précisément sur les Australopithèques et le front de surgissement de l'humanité, que le Père situait sur une ligne allant d'Afrique du Sud en Malaisie. Ainsi, comme il l'avait toujours fait, le Père Teilhard, dans les dernières années de sa vie, continuait à mener de front ses travaux scientifiques et ses réflexions personnelles. La liste de ses écrits à cette époque en apporte la preuve éclatante. J'y relève, en particulier, un opuscule, *Le Cœur de la matière*, daté de 1950, et qui est une véritable autobiographie intellectuelle et spirituelle.

Plus que jamais le Père voit clairement ce qu'exigent impérieusement les besoins de notre époque. Il écrit, par exemple, le 19 juin 1951 :

En fait, mon activité interne et externe se concentre toujours davantage sur le problème de déceler (sur indices incontestables) et de faire voir aussi « scientifiquement » que possible la signification du phénomène humain aperçu comme un effet de « convergence-par-arrangement » de l'Univers sur lui-même [1].

---

1. Cité par C. CUÉNOT, *op. cit.,* p. 357.

Il s'agit toujours, au fond, de la même chose, que le Père a répétée de cent façons : nous n'avons plus le droit d'opposer comme l'a fait trop longtemps la spiritualité traditionnelle, le Dieu de l'en-haut et le Dieu de l'en-avant. Il faut opérer la synthèse des deux sous peine de voir l'humanité déchirée par un schisme infiniment plus mortel que tous ceux qu'elle a connus dans le passé, parce que nous sommes aujourd'hui à une époque d'unité de l'humanité, de planétisation, comme disait le Père, qui appelle l'apparition d'une véritable conscience universelle.

Je me fixe toujours plus dans cette double conviction : 1) que le nœud du problème spirituel présent est dans la synthèse d'un en-haut avec un en-avant, et 2) que le principe de la solution de ce problème des deux fois est dans le discernement au-dessus de nous, d'un point critique de maturation humaine, face expérimentale et point d'application de la parousie. Cette idée d'une super-évolution humaine en perspective (par effet social de totalisation) est curieusement négligée par les plus grands esprits d'aujourd'hui [2].

Telle est donc la préoccupation majeure du Père Teilhard lorsque, en novembre 1951, au retour de l'Afrique du Sud, il se fixe à New York. Ce qui ne devait être, dans sa pensée, qu'une escale, doit se prolonger, car ses supérieurs lui font savoir qu'ils souhai-

---

2. Cité par C. CUÉNOT, op. cit., p. 352.

tent le voir demeurer aux États-Unis et se consacrer
exclusivement à des travaux scientifiques. Avec un
admirable esprit d'obéissance, le Père écrit de New
York à sa cousine Marguerite, le 4 décembre 1951 :

> Rome paraît favorable à ce que je prolonge mon séjour
> ici... Dans ces conditions, je ne vois pas autre chose à
> faire que d'accepter l'offre chaleureuse que me fait le
> Dr. Fejos, directeur de la Recherche à la W. G. Founda-
> tion, de rester auprès de lui comme *Research Associate*.
> Si les Pères américains n'objectent pas (je ne pense pas
> qu'ils le fassent), ce serait l'histoire de 1925 qui recom-
> mence, avec New-York au lieu de la Chine. Seulement,
> j'ai soixante-dix ans... Tout de même, il y a peut-être
> là, une fois encore, un coup de la Providence, et un
> champ qui s'ouvre.

Le Père Teilhard est traité comme un explosif
dangereux, que l'on tâche de placer le plus loin possible des lieux où il pourrait produire les plus grands
effets, c'est-à-dire de cette France, qui est sa patrie et
dont on l'éloigne encore une fois. Certes, il y reviendra, avant de mourir, d'avril à août 1954. Ce fut, à
bien des égards, un séjour décevant. Il ne retrouvait
plus en Europe ses amis beaucoup aimés : après le
Père Valensin, le Père Charles, de Louvain. En appre-
nant sa mort Teilhard écrivait :

> Après ce grand Auguste Valensin (une si belle mort,
> presque enfantine, appelant à la fois le soleil et Dieu...).
> L'autre qui m'avait ouvert les yeux et qui s'est en allé

aussi : Pierre Charles. Lui aussi a dû finir simplement et chiquement. Alors je répète la prière qui devient *ma* prière : « Que le Seigneur, pas pour moi, mais pour la cause que je défends » (celle du « plus grand Christ »), que le Seigneur me donne de *finir bien.*

Mais auparavant, il y a eu ce symposium sur l'Évolution, organisé en septembre 1952, par l'Université Laval à Québec, et où le Père Teilhard ne fut pas invité. A ce sujet, le Père écrivait, le 13 décembre, à l'abbé Breuil :

Je n'ai pas pu savoir ce qui s'est dit, fin septembre, à Québec, au symposium catholique sur l'Évolution... On avait invité des paléontologistes aussi éminents qu'incroyants, Stensiö de Stockholm, mon ami Simpson de New-York. Et, bien entendu, on ne m'a parlé de rien. Pas même un faire-part. Simpson, dans sa lettre d'acceptation, s'était étonné que *lui* fût invité et pas moi. En fait je préfère qu'on ne m'ait rien demandé.

Il y eut ensuite, de juillet à novembre 1953, une nouvelle mission au Transvaal, où le Père était chargé par la Fondation Wenner Gren d'organiser la recherche anthropologique dans tous les pays africains situés au sud du Sahara. Après avoir donné à sa cousine Marguerite, le 6 septembre 1953, quelques détails sur son travail scientifique, Teilhard ajoute :

Bien entendu tout ce « technique » ne m'empêche pas (au contraire!) de penser aux problèmes vivants posés par l'Afrique d'aujourd'hui, laquelle me paraît bien (quoi qu'on dise) se comporter actuellement comme une zone de moindre pression (et donc d'aspiration, pour les Blancs et pour les Jaunes) dans la noosphère. Et, plus haut et plus loin que ce problème continental, je sens se poser plus urgente que jamais au tréfonds de mon être, la grande question d'une foi (une « christologie ») animant au maximum chez nous les forces d'hominisation (ou, ce qui revient au même, les forces d'adoration).

Cette préoccupation essentielle, le Père Teilhard la porta jusqu'au bout, comme en témoigne cet écrit, l'un des derniers, qui est daté de New York, mars 1955, et qui précéda de quelques semaines à peine la mort du Père : *Recherche, Travail et Adoration.*

Faites de la science « paisiblement, sans vous mêler de philosophie, ni de théologie... »
Tel est le conseil (et l'avertissement) que l' « autorité » m'aura répété, toute ma vie durant.
Telle est encore, j'imagine, la direction donnée aux nombreux et brillants poulains lancés aujourd'hui, très opportunément dans le champ de la recherche.
Mais telle est aussi l'attitude dont, respectueusement — et cependant avec l'assurance que me donnent cinquante années de vie passée au cœur du problème — je voudrais faire remarquer, à qui de droit, qu'elle est psychologiquement inviable, et directement contraire, du reste, à la plus grande gloire de Dieu.

Il est impossible d'analyser ici la suite de cet écrit, l'un des plus denses du Père, et que l'on peut bien considérer comme son testament intellectuel et spirituel. Il montre d'abord que la recherche scientifique peut, aujourd'hui moins que jamais, être isolée et, pour ainsi dire, cantonnée, comme on essayait de le cantonner lui-même. Toute recherche digne de ce nom est orientée vers l'en-avant, vers le « plus-être », et pas seulement vers le mieux-être.

De nos jours, par la force des choses, un chrétien ne peut absolument plus s'adonner à la recherche (ni par suite s'aligner à forces égales avec ses camarades non chrétiens) sans participer à la vision fondamentale qui anime cette recherche; c'est-à-dire sans régler au préalable la contradiction qui existe encore au fond de lui, neuf fois sur dix, entre les valeurs de l'en-haut évangélique et celles du nouvel « en-avant » humain.

Le Père Teilhard, attentif à tout ce qui se passe dans cette France, dont l'accès lui est presque interdit et où, en tout cas, il ne peut plus déployer publiquement la totalité de sa pensée, en arrive à l'expérience des prêtres-chercheurs et des prêtres-ouvriers :

Depuis cinquante ans, jetés au hasard en « guérillas », prêtres-chercheurs et prêtres-ouvriers ont comme moi senti, et, plus ou moins comme moi, cherché à résoudre le problème, *chacun pour soi*. Le moment ne serait-il pas venu de trier, de codifier et de transmettre systématiquement aux nouvelles recrues les résultats de cette expérience ? C'est-à-dire avant de lancer les jeunes dans les laboratoires (ou à l'usine) ne faudrait-il pas désormais, non pas seulement les sélectionner sous le rapport de leurs capacités et de leurs goûts intellectuels, mais encore plus peut-être 1) les examiner et 2) les éduquer sous le rapport de leur aptitude spirituelle à discerner et à poursuivre le « christique » dans et à travers un « ultra-humain » ?

Je veux encore citer les dernières lignes, où Teilhard appelle « une nouvelle et supérieure forme d'adoration graduellement découverte par la Pensée et la Prière chrétienne à l'usage de n'importe lequel des croyants de demain ».

Le 10 avril suivant, l'après-midi du jour de Pâques, le Père Teilhard est mort brusquement de cette lésion cardiaque qui l'avait immobilisé quelques années auparavant. Il avait dit, quelques jours plus tôt : « J'aimerais mourir le jour de la Résurrection. » Il fut enterré à petit bruit, le surlendemain, 12 avril, au cimetière des jésuites, à Saint-Andrews-on-Hudson où une pierre levée avec une courte inscription rappelle aujourd'hui son nom et sa mémoire. Seuls son vieil ami, le Père Leroy, le compagnon de Chine et le Père ministre l'accompagnaient à sa dernière demeure.

Ainsi s'en allait dans l'humilité, la simplicité et le silence un homme dont la pensée devait, presque aussitôt après sa mort, se répandre à travers le monde pour renouveler et féconder les terres les plus arides. C'était bien ainsi, car sa mort et ses funérailles étaient à l'image de sa vie. Qui ne sentirait pas qu'avant d'être l'un des plus grands penseurs de son siècle, Pierre Teilhard de Chardin fut d'abord et avant toute chose, un mystique, un homme appelé depuis l'enfance à l'Unique nécessaire, n'aurait rien compris à cette vie perpétuellement traversée par les empêchements les plus douloureux, mais dont la flamme devait pourtant éclater aux esprits avec une force d'autant plus singulière qu'elle avait été plus longtemps et plus sévèrement comprimée.

CHAPITRE IV

LE VIN NOUVEAU

QUE l'on n'attende pas ici, de moi, un exposé systématique de la pensée du Père Teilhard de Chardin. Outre qu'il en existe quelques-uns d'excellents, notamment ceux du R. P. Rabut, du R. P. Wildiers, de M. le pasteur Crespy, du R. P. de Lubac et de Mme Barthélemy-Madaule[1], je pense qu'il sera plus utile au lecteur que je recherche en quoi et de quelle manière Teilhard répond à quelques-unes des interrogations les plus urgentes de notre époque. J'entends par là les temps modernes, ceux qui ont commencé avec la Renaissance et qui, peut-être, en un certain sens, s'achèvent de nos jours.

Qu'a été, dans le fond, cette Renaissance, que tout

1. O.-A. RABUT, O.P., *Dialogue avec Teilhard de Chardin*, Paris, Éditions du Cerf, 1958; M.-M. WILDIERS, O.F.M., *Theilhard de Chardin*, Paris, Éditions Universitaires, 1961; G. CRESPY, *La Pensée théologique de Teilhard de Chardin*, Paris, Éditions universitaires,

7

le monde connaît ou croit connaître, et qui présente
encore, pourtant, tellement d'aspects inconnus ou mé-
connus ? Essentiellement la découverte de l'homme
par l'homme, comme une terre jusqu'alors inexplorée.
D'où le nom d'humanisme, que l'on a si bien donné
à ce grand mouvement. Cette découverte s'est accom-
pagnée naturellement d'une mise en question, souvent
injuste et partiale, de tout ce qui avait paru jusque-là
solidement établi. D'où la Réforme protestante, au
sein de laquelle on voit lutter contre l'humanisme
nouveau un courant antihumaniste, comme s'ils
s'étaient appelés dialectiquement l'un l'autre.

L'Église catholique réagit de diverses manières contre cette attaque multiforme, qui la menace dans ses
œuvres vives. Il s'y fonde, en particulier, la Compagnie de Jésus qui est, entre autres choses, une pépi-
nière de religieux humanistes. Ils jettent, avec d'autres, les bases de ce que l'abbé Bremond a justement
nommé l'*humanisme chrétien*. La protestation jansé-
niste devait, au XVIIe siècle, manifester au sein de
l'Église l'existence d'un contre-courant antihumaniste,
qui avait déjà son équivalent dans la Réforme. Si les
Jésuites triomphent difficilement du jansénisme, sans
parvenir pourtant à le détruire, ils sont vaincus eux-
mêmes dans l'affaire des cérémonies chinoises, où ils
s'étaient efforcés d'adapter au christianisme une civi-

1961; H. DE LUBAC, *La Pensée religieuse du P. Teilhard
de Chardin,* Paris, Aubier, 1962; M. BARTHÉLEMY-MADAULE,
Bergson et Teilhard de Chardin, Paris, Éditions du Seuil,
1963.

lisation millénaire. Effort pourtant indispensable, si l'Église voulait vraiment conquérir un monde formidablement agrandi et diversifié par les grandes découvertes maritimes. Échec semblable, dans la seconde moitié du XVIIIᵉ siècle, en Amérique latine, quand les Jésuites tentèrent de christianiser, c'est-à-dire d'humaniser, l'expansion de l'Occident outre-mer.

Pendant le même temps, la science, avec Galilée, Descartes et Newton, s'était complètement émancipée de l'Église et poursuivait d'une façon tout à fait indépendante sa recherche propre. C'est peut-être là le phénomène le plus important, car il nous concerne encore, et plus que jamais. La science a creusé, dans le temps et dans l'espace, ces abîmes qui, déjà, effrayaient Pascal. Comment une théologie qui paraissait elle-même solidaire d'une vision du monde désormais ruinée de fond en comble pourrait-elle maintenir, en face de cette transformation, ses affirmations essentielles ? Pour ridicule qu'elle soit, lorsqu'on la prend à un certain niveau, l'opposition de la science et de la foi apparaissait à beaucoup d'esprits irréductible. Ce fut encore bien pire lorsque l'idée d'évolution s'imposa dans le domaine des sciences naturelles.

Bien que le Père Teilhard ne semble pas avoir été touché dans son enfance et dans sa jeunesse par les courants scientistes qui dominaient la fin du siècle dernier, il s'est trouvé, par une singulière disposition naturelle, comme prédestiné à les affronter. Je l'ai déjà dit, mais il faut le répéter encore : Teilhard est à la fois et pour ainsi parler, d'un même mouvement,

un mystique et un savant. Un mystique, par sa passion
de l'Absolu et, davantage encore, par la faculté qui
lui est propre de communier à Dieu, tout ensemble
directement et à travers la matière universelle, où il
percevait la diaphanie du Verbe qui, en s'incarnant,
« s'est assimilé toutes choses »; un savant, par sa
curiosité intellectuelle et par son exigence de rigueur.
Il aurait pu être aussi, sans doute, un philosophe et
un théologien; il le fut, bien que l'on ait tout fait pour
l'en empêcher. Mais le fondement de sa philosophie,
comme de sa théologie, sera toujours l'union intime
du sens mystique et de l'investigation scientifique.

Qui ne voit que l'existence même de Teilhard et
toute son œuvre sont la preuve que la science et la
foi ne sont pas incompatibles et que l'humanisme qui
domine presque entièrement notre époque est parfaitement conciliable avec le christianisme repensé à
la lumière de nos connaissances et de nos aspirations
actuelles ? Que ceci n'aille point sans difficultés, c'est
l'évidence même. Toutes ces difficultés, qui sont celles
de chacun de nous, qui sont celles de notre époque
même, Teilhard les a rencontrées. Il n'en a esquivé
aucune et il a tenté de les résoudre. A la fois pour
les chrétiens, dont il était. Et aussi pour les non-
chrétiens.

Car, si une vérité lui apparaît clairement, aussitôt
qu'il est sorti de la couveuse de sa famille et du noviciat (à supposer même qu'il ne s'en soit pas douté auparavant), c'est que l'humanité contemporaine est très
largement détachée du christianisme. Il lui suffit de

mettre le pied dans le laboratoire de Boule pour y
rencontrer, outre Boule lui-même, quantité d'incroyants, d'agnostiques et d'athées qui poursuivent
avec lui dans cette camaraderie que seuls connaissent
ceux qui l'ont pratiquée aux lieux où se constitue la
science vivante, avec les mêmes méthodes, univer-
sellement admises, selon les mêmes critères, une recherche de portée universelle. Il importe donc de
découvrir un langage qui soit commun aux croyants
et aux incroyants. C'est, en un sens, l'affaire des cérémonies chinoises qui recommence. Si le christianisme
est vrai, cette vérité doit pouvoir être proposée aux
hommes dans la langue qui est la leur. Elle ne saurait
être à jamais solidaire d'expressions anciennes, et qui
ne sont plus comprises. Ici est la racine des perpétuels
malentendus qui opposent Teilhard à des théologiens
pusillanimes, obstinément attachés à une expression
périmée.

De plus Teilhard avait, nous l'avons vu, fait en
1908, dans le Sussex, la découverte éblouissante de
l'évolution. Elle était au cœur de la science qui était en
propre la sienne : la Paléontologie. Mais ce que dé-
couvrait Teilhard, c'était bien autre chose qu'une
hypothèse scientifique permettant de rendre compte
des faits connus dans le domaine de la Matière animée. La révélation qui alors lui fut faite était celle
d' « une dérive profonde, ontologique, totale de l'Univers », à laquelle rien n'échappait, et pas non plus
les réalités religieuses. Le cardinal Newman, que Teilhard devait beaucoup lire pendant la guerre, avait eu,

au siècle dernier, une intuition analogue. Mais Newman était avant tout un patrologiste. L'étude des Pères de l'Église lui avait montré comment se sont dégagés avec le temps les dogmes fondamentaux du christianisme. Cela lui permettait d'opposer validement la tradition vivante dans l'Église au littéralisme protestant.

Mais tout autre était l'enquête à laquelle ses travaux obligeaient Teilhard. Il ne s'agissait plus de cette courte tranche de vingt siècles qui constitue présentement l'histoire de l'Église; il ne s'agissait même pas des quelque sept ou huit millénaires que compte l'Histoire proprement dite, mais d'une durée incomparablement plus étendue, puisqu'elle est celle même de l'Univers tout entier. Teilhard, dès cette intuition d'Hastings, apercevait nettement la continuité entre l'évolution de la Matière brute et celle de la Matière vivante, entre cette dernière et l'apparition de l'Homme. De telle sorte que l'histoire humaine tout entière — et ici, elle englobe évidemment la préhistoire — y compris l'histoire religieuse de l'humanité, se déroule suivant un rythme qui est celui même de l'Univers.

Il s'agit là d'une grande nouveauté, et qui n'est pas contestée seulement par quelques théologiens timorés. Toute une école d'historiens et de philosophes, incroyants aussi bien que croyants, s'insurge à l'idée qu'il pourrait exister une histoire qui ne serait pas exclusivement celle de l'homme. Un Sartre même ne soutient-il pas qu'à parler de « dialectique de la

Nature », on commet une contradiction dans les termes ? Si, en effet, le ressort de l'histoire et du progrès
dans l'histoire, est l'opposition dialectique de forces
contraires, selon ces mêmes philosophes, on observerait bien cette loi dans l'ordre humain, mais seulement
dans l'ordre humain. C'est l'Esprit qui introduirait dans
l'histoire cette donnée fondamentale et qui, de la
sorte, créerait l'histoire même, mais on n'observerait
rien de pareil avant l'apparition de l'Esprit, qui coïncide avec celle de l'homme.

Voici donc Teilhard opposé, si l'on peut ainsi s'exprimer, à toutes les Sorbonnes, aussi bien la Sorbonne
laïque, qui a remplacé l'ancienne, mais ne lui cède
guère en préjugés intellectuels, que les théologiens
romains, prisonniers de leurs formules. Notons au
passage que s'il souligne fortement la continuité du
Réel, depuis les plus lointaines origines jusqu'aux derniers achèvements, Teilhard ne méconnaît pas pour
autant l'existence de seuils d'émergence qui introdui-
sent une discontinuité au sein de ce continu. Il y a un
seuil de la vie; un seuil de la réflexion, qui coïncide
avec l'apparition de l'homme et il y aura sans doute
d'autres seuils avant que tout ne se termine.

Car l'évolution n'est point achevée avec l'homme.
Teilhard en est, je crois, convaincu dès le moment de
l'illumination d'Hastings, bien que cette partie de sa
doctrine n'ait pris forme que beaucoup plus tard. Le
voici maintenant jeté, et presque tout de suite après sa
première expérience du laboratoire où se coudoient
des hommes et des femmes de toute provenance et de

toutes convictions, dans le formidable creuset de la guerre. Il est armé pour l'affronter. Il a fait, dans ces mêmes années, une rencontre délicate et décisive : celle du Féminin. Si l'on s'attache au cheminement de la pensée teilhardienne, on ne peut passer sous silence un événement aussi important. La découverte du Féminin équilibre en même temps et prépare le large contact avec l'humain collectif que va être l'expérience de la guerre. Bien entendu, ces expériences n'acquièrent leur pleine fécondité que dans la mesure où le Christ s'y révèle.

Teilhard, jésuite savant, noyé dans la masse anonyme, y jouit pour la première fois dans sa vie d'immenses loisirs qui vont lui permettre, passé la trentaine, de dégager sa pensée, non plus dans le cadre nécessairement étroit et spécialisé de la science, mais dans celui de libres méditations sur les sujets les plus vastes et les plus essentiels. Il suffit de se rappeler le titre de son premier opuscule, *La Vie cosmique,* en 1916. Teilhard est maintenant jeté immédiatement dans l'histoire de ce qui se fait. Non plus seulement une histoire spéculative et qui n'est, pour l'historien, que pur spectacle, mais une histoire actuelle, cruellement réelle, qui s'inscrit dans des souffrances visibles, et qui doit avoir un sens, elle aussi, sans quoi la plus vaste histoire de l'univers n'en aurait aucun. C'est une chose d'étudier des fossiles en laboratoire, ou même sur le terrain et c'en est une autre de ramener des blessés ou des morts de la ligne de feu, comme ce fut pendant quatre ans le dangereux métier du Père Teilhard. Ce sont deux réalités très différentes, en effet, et pourtant les conclusions que l'on en déduit ne doivent pas être contradictoires. Car l'une des exigences les plus profondes de l'esprit de Teilhard, c'est la cohérence.

Lorsqu'il revint à Paris, au sortir de la guerre, il était parfaitement armé pour affronter ce monde moderne avec lequel il se sentait accordé, comme ses confrères d'autrefois avaient pu l'être avec le monde chinois. Mais, on le sait, la Providence, représentée en l'espèce par ses supérieurs, en décida autrement et Teilhard n'a pas cessé, depuis 1923, d'être jeté sur les grands chemins du monde. C'est là que, tout en poursuivant une œuvre scientifique gigantesque, sur laquelle nous serons bientôt pleinement éclairés par l'ouvrage qu'annonce M. Piveteau, Teilhard continue d'approfondir sa pensée, rencontrant sans cesse de nouvelles difficultés, qui ne sont pas seulement extérieures, mais aussi intérieures. Celles-ci sont les plus cachées, mais aussi les plus graves et les plus fécondes.

Ce qui soutient Teilhard, tout au long de cet itinéraire, c'est une spiritualité qui s'exprime dans *Le Milieu divin*. Déjà, en 1917, pendant la guerre, le Père Teilhard avait écrit *Le Milieu mystique*, qui était l'ébauche de son grand traité spirituel. Il faudrait de longues pages pour dire ce qu'il y a d'original et en même temps de profondément traditionnel dans cette spiritualité pour les temps nouveaux. Il est arrivé à plusieurs reprises, dans l'histoire de l'Église, que les besoins spirituels d'une époque se soient exprimés dans un ouvrage caractéristique. Ce fut le cas, au début du XVᵉ siècle, avec cette *Imitation de Jésus-Christ,* qui a nourri, depuis plus d'un siècle en partie sous l'influence du romantisme, la piété catholique; et encore au début du XVIIᵉ siècle, avec l'*Introduction à la vie dévote,* qui mettait la piété à la portée des gens du monde, sans l'adultérer et sans l'abaisser. C'est ainsi qu'au milieu des tribulations qu'il subissait alors, le Père Teilhard écrivit en Chine, à Tientsin, en 1926-1927, *Le Milieu divin.*

Hâtons-nous de dire, comme le Père Teilhard l'observe lui-même, qu'il ne s'agit pas ici d'un traité complet de spiritualité, mais plutôt de « la simple description d'une évolution *psychologique* observée *dans un intervalle bien déterminé* ». D'autre part,

ce livre ne s'adresse pas précisément aux chrétiens qui, solidement installés dans leur foi, n'ont rien à apprendre de ce qu'il contient. Il est écrit pour les mouvants du dedans et du dehors, c'est-à-dire pour ceux qui, au lieu de se donner pleinement à l'Église, la côtoient ou s'en éloignent, par espoir de la dépasser.

Les choses sont donc, dès le départ, tout à fait claires. Observons cependant que l'évolution psychologique dont il s'agit est exemplaire et, d'autre part, que ces mouvants dont parle le Père Teilhard représentent bien plus que les chrétiens « installés » (ce mot n'a certainement pas été choisi au hasard; il évoque ces « habitués », que Péguy stigmatisait), ce que l'on pourrait appeler l'aile marchante de l'humanité d'aujourd'hui.

L'auteur met immédiatement le doigt sur ce qui constitue le trouble majeur de notre époque. Nous sommes ici au centre de ce que fut sa préoccupation dominante, sur quoi l'on ne saurait trop insister si l'on veut comprendre quelque chose à son action et à son œuvre. L'enfant Teilhard était, nous l'avons vu, partagé entre deux adorations, en apparence contradictoires : celle du dieu de fer et celle du Christ, Dieu fait homme. Devenu tout à la fois, et pour ainsi dire, d'un même mouvement, religieux et savant, il porte en lui cette double aspiration, qui est aussi celle de l'homme moderne. Nous n'avons cessé, depuis quelques siècles, de découvrir, toujours plus abondantes et plus variées, les richesses du monde et nous avons le sentiment aujourd'hui que cette découverte peut et doit continuer indéfiniment, si bien que notre imagination n'est plus capable d'évoquer les insondables accomplissements auxquels nous sommes appelés, pourvu que nous le voulions vraiment.

On comprend que dans ces conditions l'homme moderne se sente attiré vers le monde d'une manière beaucoup plus forte que ne le furent jamais les hommes du passé. Je ne parle pas seulement de ce Moyen Age, pour qui le monde n'avait, en quelque sorte, qu'un caractère instrumental. Il était un lieu d'exil, dont nous devions profiter au mieux pour assurer notre salut dans un autre monde. Mais même l'Antiquité, que les modernes ont tant invoquée contre le Moyen

Age, à laquelle ils ont voulu se rattacher directement, n'avait imaginé qu'un monde étroitement limité,
à la fois dans l'espace et dans le temps, et qui ne ces-
sait de se reproduire lui-même, indéfiniment, à l'image
des révolutions sidérales. Le monde des modernes est
tout autre chose. L'aventure dans laquelle ils se sentent engagés n'a pas de terme strictement prévisible.
Il y a toujours, en avant de nous, un « je-ne-sais-quoi
de plus grand ». Rien n'est plus exaltant, en un sens;
mais rien non plus n'est aussi éloigné des spiritualités
traditionnelles.

C'est à ces besoins nouveaux que le Père Teilhard
entend répondre dans *Le Milieu divin*; « ce petit livre,
où l'on ne trouvera que l'éternelle leçon de l'Église,
répétée seulement par un homme qui croit sentir
passionnément avec son temps, voudrait apprendre
à voir Dieu partout : le voir au plus secret, au plus
consistant, au plus définitif du monde ». Il s'agit, en
somme, de montrer que l'Univers tout entier est un
« milieu » divin. Il faudrait insister quelque peu sur
cette expression de « milieu », que Teilhard employait
déjà en 1917. Elle dit parfaitement ce qu'elle veut
dire. Sans que, à aucun moment, Teilhard oublie la
transcendance divine, encore qu'il se soit trouvé des
esprits incompréhensifs pour l'en accuser, il montre
que l'Univers tout entier constitue un milieu dans lequel nous sommes immergés, et où se manifeste toujours la transparence du divin.

La notion de transparence est ici capitale. Le monde
des choses sensibles, le monde des phénomènes, comme

Teilhard aime à dire, est semblable à un écran qui peut, en effet, nous dissimuler la Réalité transcendante; mais qui, sous un regard plus aigu, laisse transparaître le visage de quelqu'un. Le mieux est ici, je crois, de citer Teilhard lui-même, dans une de ses pages les plus bouleversantes :

Oui, mon Dieu, je le crois : et je le croirais d'autant plus volontiers qu'il n'y va pas seulement de mon apaisement, mais de mon achèvement : c'est Vous qui êtes à l'origine de l'élan et au terme de l'attraction, dont je ne fais pas autre chose, ma vie durant, que de suivre ou favoriser l'impulsion première et les développements. Et c'est Vous aussi, qui vivifiez pour moi, de votre omniprésence (mieux encore que mon esprit ne le fait pour la matière qu'il anime) les myriades d'influences dont je suis à chaque instant l'objet. Dans la vie qui sourd en moi et dans cette matière qui me supporte, je trouve mieux encore que vos dons : c'est Vous-même que je rencontre, Vous qui me faites participer à votre Être, et qui me pétrissez. Vraiment, dans la régulation et la modulation initiale de ma force vitale, dans le jeu favorablement continu des causes secondes, je touche, d'aussi près que possible, les deux faces de votre action créatrice; je rencontre et je baise vos deux merveilleuses mains : celle qui saisit si profondément qu'elle se confond, en nous, avec les sources de la vie, et celle qui embrasse si largement, que sous la moindre de ses pressions, tous les ressorts de l'Univers se plient harmonieusement à la fois. Par leur nature même, ces bienheureuses passivités que sont pour moi la volonté d'être le goût d'être tel ou tel, et l'opportunité de me réaliser à mon goût, sont chargées de votre influence, une influence qui m'apparaîtra plus distinctement, bientôt, comme énergie organisatrice du Corps mystique. Pour communier avec Vous en elles, d'une communion fondamentale (la Communion aux sources de la vie), je n'ai qu'à Vous reconnaître en elles, de Celui qui est et de Celui qui vient [1]!

On reconnaîtra bien, ici, l'accent de cette *Messe sur le monde,* que le Père Teilhard écrivait quelques années auparavant, en 1923, lors de son premier séjour et de ses premières expéditions en Chine dans le désert des Ordos. Il ne s'agit donc pas, comme le conseillait l'ascèse ancienne, de se détourner du monde pour se convertir à Dieu, mais, au contraire, de fixer sur le monde un regard de plus en plus intense, de telle sorte que, par ce regard, le monde se laisse pénétrer jusqu'à livrer son secret, qui n'est point de l'ordre scientifique, mais de l'ordre mystique. Voilà bien la spiritualité des temps nouveaux, qui ne détourne pas l'homme de sa tâche terrestre, mais qui, au contraire, pénètre cette tâche et, en quelque manière, la divinise. N'allons surtout pas croire que ceci ne suppose pas une ascèse. Pour être d'une autre nature que l'ancienne, elle n'en est pas moins sévère et difficile. Ce qui est facile, en dépit des apparences, parce que c'est simple, c'est de rabattre son capuchon sur ses yeux et de ne plus rien voir que Dieu, dans l'oubli de tout le reste. Mais ne serait-ce pas, en quelque sorte, priver Dieu de son œuvre, qui est précisément cette

---

1. *Le Milieu divin,* pp. 77-78.

création qu'il n'a point placée entre lui et nous pour se dissimuler à nos regards, mais afin que, la rendant de plus en plus habitable, nous la fassions aussi de plus en plus transparente ?

Que de tentations il faut surmonter pour arriver à cela! Nul ne le savait mieux que le Père Teilhard, qui avait subi jusqu'à l'ivresse panthéiste l'ensorcellement du monde. Certains, là-dessus, et pour quelques pages brûlantes détournées de leur sens, l'ont accusé facilement de panthéisme. Bien loin qu'il le fût, il n'est pas de fantôme qu'il exorcise avec autant d'énergie que le panthéisme. Il suffit pour s'en rendre compte de relire les dernières pages du *Milieu divin* :

Pourquoi donc, hommes de peu de foi, craindre ou bouder les progrès du monde ? Pourquoi multiplier imprudemment les prophéties et les défenses : « N'allez pas... n'essayez pas... tout est connu : la terre est vide et vieille : il n'y a plus rien à trouver... »

Tout essayer pour le Christ. Tout espérer pour le Christ! *Nihil intentatum!* Voilà, juste au contraire, la véritable attitude chrétienne. Diviniser n'est pas détruire, mais surcréer. Nous ne saurons jamais tout ce que l'Incarnation attend encore des puissances du monde. Nous n'espérerons jamais assez de l'unité humaine croissante.

Lève la tête, Jérusalem. Regarde la foule immense de ceux qui construisent et de ceux qui cherchent. Dans les laboratoires, dans les studios, dans les usines, dans l'énorme creuset social, les vois-tu, tous ces hommes qui peinent ? Eh bien! tout ce qui fermente en eux d'art, de science, de pensée, tout cela c'est pour toi. Allons, ouvre tes bras, ton cœur, et accueille, comme ton Seigneur Jésus, le flot, l'inondation de la sève humaine. Reçois-la, cette sève, car sans son baptême tu t'étioleras sans désir, comme une fleur sans eau; et sauve-la, puisque sans ton soleil elle se dispersera follement en tiges stériles.

La tentation du monde trop grand, la séduction du monde trop beau, où est-elle maintenant ?

Il n'y en a plus.

La terre peut bien, cette fois, me saisir de ses bras géants. Elle peut me gonfler de sa vie ou me reprendre dans sa poussière. Elle peut se parer à mes yeux de tous les charmes, de toutes les horreurs, de tous les mystères. Elle peut me griser par son parfum de tangibilité et d'unité. Elle peut me jeter à genoux dans l'attente de ce qui mûrit dans son sein.

Ses ensorcellements ne sauraient plus me nuire, depuis qu'elle est devenue pour moi, *par-delà elle-même,* le corps de Celui qui est et de Celui qui vient[1]!

Il est inutile, et il serait du reste impossible de commenter dignement une page aussi dense. Je voudrais pourtant attirer l'attention du lecteur sur l'une des expressions dont se sert le Père Teilhard : surcréer, dit-il. Comment n'évoquerait-on pas ici une autre mystique de notre temps : Simone Weil qui, elle, ne parlait pas de surcréer mais de décréer ? Ainsi s'opposent deux esprits, deux conceptions antithétiques du christianisme. L'une et l'autre s'expliquent par une sorte de réaction. Simone Weil réagissait avec violence et injustice contre le milieu juif dans lequel elle

---

1. *Le Milieu divin,* pp. 207-209.

avait été élevée; contre le marxisme ensuite, qui l'avait
fortement influencée. Le Père Teilhard réagit, lui,
contre une spiritualité traditionnelle, qu'il a puisée
aux genoux de sa mère et dans la lecture de *L'Imitation*. Mais comme les deux réactions sont différentes!
Tandis que Simone Weil n'intègre pas, mais sépare et
oppose, Teilhard, au contraire, assume dans une synthèse vivante la spiritualité traditionnelle et la rend
capable d'embrasser le monde moderne. Surcréer est
plus difficile et plus ardu encore que de décréer; mais
comme c'est aussi plus fécond et plus complet! Certes,
le Christ en s'incarnant n'est pas venu décréer, mais
bien surcréer. C'est méconnaître à la fois le sens de
la Création et celui de l'Incarnation que de prétendre
défaire ce que Dieu a fait, ce qu'il est venu sauver,
au lieu de le parfaire, comme c'est notre devoir et
notre tâche terrestre.

Je ne reviendrai pas, au cours de ces pages, sur la
spiritualité teilhardienne. Mais il faut dire encore
que le Père Teilhard a été fidèle jusqu'au bout à ces
élans de sa maturité. Relisant ces vieux textes, en
mars 1955, à la veille de sa mort, il écrivait, en effet :

Il y a longtemps déjà que, dans *La Messe sur le monde*
et *Le Milieu divin*, j'ai essayé, en face de ces perspectives
encore à peine formées en moi, de fixer mon admiration
et mon étonnement.

Aujourd'hui, après quarante ans de continuelle réflexion, c'est encore exactement la même vision fondamentale que je sens le besoin de présenter et de faire
partager, sous sa forme mûrie, une dernière fois.

Ceci avec moins de fraîcheur et d'exubérance dans l'expression qu'au moment de sa première rencontre.

Mais toujours avec le même émerveillement et la même passion [1].

Le mot qui vient tout spontanément sous la plume, lorsqu'on relit ces textes, aussi bien ceux de la maturité que celui de la vieillesse, est celui d'enthousiasme. Mais il faut prendre ici ce terme dans sa signification étymologique, tel qu'il est employé, par exemple, par Platon, où il veut dire livré au dieu. Le spectacle du monde, qu'il soit considéré par le poète ou par le savant — et Teilhard est à la fois l'un et l'autre — remplit son cœur et son esprit de jubilation. Il n'ignore pas les duretés et, pour tout dire, l'inhumanité foncière de cet univers dans lequel nous sommes plongés, dont nous faisons partie intégrante, et nul ne les a exprimées avec plus de force que lui. Il n'en est pas moins transporté, ébloui, plein d'une gratitude qui ne peut qu'elle n'aille, à travers le monde, jusqu'à Dieu. Point d'attitude plus traditionnelle — il suffit, pour s'en rendre compte, de parcourir la Bible, et notamment le Psautier, où l'on est témoin, presque à chaque page, de l'émerveillement du Psalmiste — mais il n'en est pas non plus qui ait semblé davantage oubliée dans la spiritualité des derniers siècles. Devant les transformations de la société moderne, devant les pro-

---

1. *Le Christique*, opuscule inédit cité dans *Le Milieu divin*, pp. 202-203.

digieuses découvertes de la science, l'Église semblait
s'être peureusement repliée, abandonnant aux gens
du dehors la merveilleuse aventure. Il est curieux de
rencontrer ici, d'accord avec Teilhard, Claudel qui se
proposait, entre autres choses, d'occuper poétiquement
des terres vierges que les catholiques avaient crain-
tivement laissées aux Gentils.

Mais la pensée de Teilhard, pensée rigoureuse s'il
en fut, ne se borne pas, tant s'en faut, à ces élans d'enthousiasme; sans quoi elle n'eût pas dépassé le niveau,
certes très honorable, de celle de Termier, par exemple, ce géologue lyrique. Il s'agit pour Teilhard, à partir des constatations les plus précises des sciences, et notamment de la biologie, qui est son domaine propre,
de reconstruire, à l'échelle de notre époque, ce « système du monde », qui était brisé depuis que Copernic
et Galilée avaient détruit l'univers de Ptolémée. Le
premier qui se soit rendu compte du vide béant ainsi
ouvert paraît avoir été Pascal, que ces immensités
nouvelles effrayaient. Et encore Pascal ne voyait-il que
l'infini de l'espace dans les deux dimensions de l'infiniment grand et de l'infiniment petit. Nous avons,
depuis, découvert un autre infini : celui du temps. Le
Père Teilhard a consacré quelques-unes de ses pages
les plus denses à cette découverte et à ses conséquences. Ce ne sont pas seulement les quelques millénaires
des anciennes cosmologies qui se sont transformés en
des milliards d'années, c'est la nature du temps elle-
même qui a été bouleversée. Ce fut là le résultat
commun des découvertes accomplies au cours des

deux derniers siècles dans les domaines de l'astrophysique, de la géologie et de la paléontologie, de la préhistoire et de l'histoire elle-même.

Réduite à quelques millénaires, l'histoire du monde ne comportait aucun recours à l'Évolution. Dans ces dimensions nouvelles, au contraire, elle appelait l'Évolution comme une nécessité. L'Évolution est désormais partout dans la nature et dans l'histoire. Elle n'est plus seulement une hypothèse qui rend compte des transformations constatées au cours des millénaires dans l'organisation de la matière animée; elle est l'explication indispensable de tout ce qui, autour de nous, ne cesse de se transformer, même si ces transformations sont si lentes qu'elles en deviennent imperceptibles à nos regards, si nous ne prenons pas vis-à-vis d'elles le recul nécessaire. Telle fut, dès 1908, la vision illuminante de Teilhard dans les paysages du Sussex. De l'Évolution réduite au domaine biologique, il va passer à ce qu'il nomme, à plusieurs reprises, l'Évolution généralisée.

Sans doute n'a-t-il pas été le premier à voir, ou plutôt à entrevoir cette vérité. Déjà Bergson l'avait partiellement exprimée dans l'*Évolution créatrice*. Ce n'est pas ici le lieu d'étudier dans le détail ce qui distingue la vision teilhardienne de la vision bergsonienne. Qu'il me suffise de dire, en très gros, que Bergson est un analyste, qui divise et qui oppose, selon les catégories philosophiques traditionnelles : Matière, Esprit, Intelligence, Intuition, etc., tandis que Teilhard synthétise; que l'univers bergsonien est un univers en diver-

gence, tandis que l'univers teilhardien est un univers
en convergence. Peu à peu, par un long travail d'approfondissement et de réflexion, Teilhard saisit et intègre
les éléments essentiels de sa construction. C'est d'abord
l'idée de noosphère. Le mot est bâti sur le modèle des
termes déjà en usage dans la géologie : la terre est
entourée d'une lithosphère, c'est-à-dire d'une sphère
pierreuse, qui constitue proprement ce qu'on appelle
aussi l'écorce; cette lithosphère elle-même est enve-
loppée d'une biosphère, puisque la vie, dans les mers
et sur les terres émergées, recouvre la lithosphère
d'un réseau mince, mais continu.

Mais voici que de la vie a émergé l'esprit. A la
vérité, selon Teilhard, il lui fut toujours en quelque
manière immanent. Non seulement immanent à la vie,
mais immanent à toute matière, même inorganique
car, si loin que nous remontions dans son analyse, nous
ne rencontrons jamais la matière à l'état totalement
inorganisé. On sait que l'atome de la microphysique
contemporaine est lui-même un ensemble complexe,
formé d'un noyau et d'électrons en nombre variable
et constitue ainsi un système solaire en miniature. Une
telle organisation rudimentaire suppose, selon Teilhard, dès l'origine, l'existence de deux énergies complémentaires : une énergie tangentielle, la seule que
saisissent pleinement les sciences de la nature, et qui
est l'ensemble des pressions extérieures subies par le
complexe; et une énergie radiale, énergie intérieure,
immanente au complexe, qui est, en quelque sorte,
l'autre face des choses, et où Teilhard aperçoit une

sorte de psychisme primitif. *Mens agitat molem* (L'esprit anime la masse).

Puis nous voyons le complexe primitif de l'atome se complexifier encore et former des molécules. Il y a là un progrès, car la molécule n'est pas un simple agrégat d'atomes; elle est véritablement une entité nouvelle. Ces molécules deviennent de plus en plus grosses, c'est-à-dire de plus en plus complexes et, en même temps, de plus en plus instables. Nous sommes au commencement de ce que Teilhard nomme à plusieurs reprises la « montée vers l'improbable ». Car, si cette énergie radiale, mise en lumière par Teilhard, n'était constamment à l'œuvre, nous ne saurions expliquer comment se forment des arrangements de plus en plus complexes et de plus en plus fragiles. Voici l'évolution généralisée qui se manifeste, dès avant l'apparition de la vie.

Les virus ne sont, à leur tour, que certaines de ces molécules complexes. Elles se reproduisent et se nourrissent. Nous sommes au *seuil* de la vie. Cette notion de seuil est tout à fait capitale dans la construction de Teilhard. A partir du moment où apparaît la vie, nous assistons à un véritable retournement de la réalité jusqu'alors observée. Quelque chose d'absolument nouveau a émergé. La notion d'*émergence* est complémentaire de celle de seuil. L'une et l'autre soulignent l'intervention du discontinu au sein du continu ou, ce qui revient au même, la permanence du continu à travers le discontinu. Là où Bergson séparait et isolait, Teilhard unit, par une dialectique d'une extrême souplesse.

À travers l'histoire de la vie, nous allons constater la même montée vers l'improbable. La forme propre de la vie, c'est la cellule, qui est une organisation de molécules, comme celles-ci étaient une organisation d'atomes. Les premiers êtres vivants sont des êtres monocellulaires. Ensuite vont apparaître les organismes multicellulaires que sont les plantes et les animaux supérieurs. On voit que la complexité ne cesse de croître; mais en même temps qu'augmente la complexité augmente aussi la conscience. S'il pouvait paraître abusif à certains de découvrir un psychisme primitif jusque dans la structure de l'atome ou de la molécule, nul ne conteste aujourd'hui que le psychisme ne soit inhérent à la vie, même sous ses formes les plus simples. Un peu de réflexion suffira, je crois, pour admettre que ce psychisme n'a pas plus commencé avec la vie que n'a commencé avec elle l'effort de complexification.

Voici donc la vie qui évolue vers une complexité toujours croissante et, corrélativement, vers une conscience de plus en plus grande. Nous approchons d'un nouveau seuil, d'un nouveau pas en avant, d'une nouvelle émergence : celle de la réflexion. Elle coïncide avec l'apparition de l'homme. L'homme est l'animal qui réfléchit, c'est-à-dire qui est capable de penser sa propre pensée. Mais il faut noter, pour pleinement comprendre ce phénomène, qu'au fur et à mesure que la vie évoluait, se complexifiait, les fonctions vitales se différenciaient. Une de ces fonctions était le système nerveux, qui est l'organe essentiel des relations entre

l'extérieur et l'intérieur. Fonction d'information et de
réponse. Si bien que le paramètre des progrès du vivant
est à la fois la complexification du système nerveux et
sa concentration en un système nerveux central, qui est
le cerveau. Nous avons ainsi ce que Teilhard appelle
l'indice de céphalisation; chez les vertébrés, qui représentent le sommet de l'échelle animale, l'augmentation
de la capacité crânienne est le signe indubitable du
progrès sur l'axe de complexité-conscience.

Or, si l'on se rend compte que la complexité croissante d'éléments organisés totalise très rapidement des
chiffres vertigineux, et véritablement astronomiques
d'éléments simples : atomes, molécules, cellules, on
voit que, là aussi, nous allons vers l'infini, ce qui a
permis à Teilhard de parler d'un troisième infini. Pascal voyait l'homme perdu entre l'infiniment grand et
l'infiniment petit; il ne l'était pas moins, avec ses huit
millénaires d'histoire et ses quelque cinq cents millénaires de préhistoire, dans l'infini du temps cosmique.
Mais voici que nous allons le trouver précisément au
sommet de cet axe de complexité-conscience, qui n'est
pas moins que les deux autres, un infini : le troisième.

Comme nous avions franchi un seuil avec l'apparition de la Vie, nous en franchissons un autre
avec l'apparition de l'homme. A partir du seuil, de
l'émergence de la Vie, tout était nouveau, par rapport
à l'antérieur; de même à partir du seuil de la réflexion.
A première vue, l'on dirait que l'évolution organique
est arrêtée depuis ce moment-là. C'est tout simplement,
qu'elle a pris désormais une autre forme. Une des

grandes découvertes du Père Teilhard, c'est que, de
même que l'évolution ne commence pas avec l'apparition de la Vie, elle ne s'achève pas avec l'apparition de
l'homme. Jusqu'alors, chaque fois qu'apparaissait une
espèce nouvelle, elle ne tardait pas à se subdiviser par
spéciation, par naissance d'espèces nouvelles, caracté-
risées par le fait qu'elles n'étaient pas capables de
s'interféconder. L'apparente exception à la règle, le
mulet, qui naît de l'âne et du cheval, ne fait que la
confirmer, puisqu'il est stérile. Au contraire, nous
voyons bien l'humanité se subdiviser en Races, mais la
fécondation entre Races différentes demeure possible.
Ce ne sont donc pas des Espèces.

Autre trait remarquable de l'homme : non seulement il est sociable — d'autres animaux le sont —
mais encore il est ordonné à la totalité de la planète.
Il a pu apparaître sur une ligne déterminée de la
surface terrestre, mais il n'a pas tardé à se répandre
partout, quelles que fussent les conditions physiques
qui lui étaient proposées. Cette espèce ubiquiste n'est
pas seulement plus qu'une espèce, elle est plus qu'un
genre, qu'un groupe, qu'une famille; elle est véritablement un règne, à elle toute seule. Il y a un règne humain, comme il y a un règne animal, un règne végétal
ou un règne minéral. Avec la réflexion, c'est-à-dire avec
l'apparition de l'âme humaine, avec l'apparition de la
personne, qui est une unité totalement centrée et irréversible (d'où l'immortalité), nous entrons dans un
tout autre ordre. Voilà pourquoi l'évolution ne se
continue plus sous la forme de modifications somati-

ques. La capacité crânienne, par exemple, n'augmente plus à partir de l'apparition de l'*Homo sapiens*. Mais nous assistons à un autre phénomène, qui est un renversement analogue à celui qui s'était produit au seuil de la Vie.

Il semble que les lignes de l'évolution, qui étaient divergentes jusqu'à l'apparition de l'homme, se mettent, à partir de là, à converger, tout comme les méridiens sur une sphère, qui s'éloignent progressivement l'un de l'autre jusqu'à la ligne équatoriale, puis vont se rapprochant jusqu'à l'autre pôle. Avec l'homme, nous avons franchi le cercle équatorial. Tout ce qui divergeait jusqu'alors converge. Non seulement l'homme se répand, en se différenciant, mais sans se séparer en espèces distinctes, sur toute l'étendue de la planète; mais ce réseau, dont il couvre ainsi la terre, d'abord extrêmement lâche, avec de larges intervalles de vide presque total, se resserre de plus en plus jusqu'à former, au cours des derniers siècles, une étoffe continue. Que l'on songe seulement à la rapidité et à la fréquence de plus en plus grande des communications de toute espèce, d'un bout à l'autre de la terre. Teilhard nomme ce phénomène la planétisation.

Or, ce qui caractérise l'homme, nous l'avons dit, c'est la réflexion. C'est donc une sphère de réflexion, c'est-à-dire d'esprit qui entoure à présent la planète, et voilà ce que Teilhard a nommé la noosphère. D'un autre côté, s'il n'y a pas spéciation, création d'espèces nouvelles, il y a spécialisation croissante. De même que les cellules, d'abord indifférenciées, se sont peu à peu spécialisées dans les organismes multicellulaires, ainsi, dans les sociétés humaines, nous voyons les individus se spécialiser dans telle ou telle fonction. Mais il ne s'agit là que d'une analogie incomplète car, comme le Père Teilhard l'explique fort bien dans *Le Groupe zoologique humain* : « Une certaine influence particulière (celle du psychique), demeurée jusqu'alors négligeable au regard de la systématique, se met tout d'un coup à prendre une part prépondérante dans la ramification du phylum. »

Nous découvrons ainsi le phénomène de socialisation, corrélatif de celui de planétisation. Ce sont là des phénomènes progressifs, comme nous avons eu déjà l'occasion de le remarquer, et qu'il est aisé d'observer de fort près rien qu'en suivant l'histoire des civilisations depuis quelques millénaires. Voilà ce qui permet au Père Teilhard de conclure que l'évolution n'est pas achevée avec l'homme, mais qu'elle a pris seulement une forme nouvelle. Les vicissitudes de sa propre existence lui avaient donné, nous l'avons vu, une expérience très étendue et très variée de la situation actuelle de l'homme sur la terre. Il avait fait, de plus, une expérience spéciale, celle de la recherche collective dans la science contemporaine. Il devient de plus en plus difficile aujourd'hui d'attribuer à tel ou tel savant une découverte capitale. Qui, par exemple, a découvert le Sinanthrope ? A coup sûr, ce n'est pas le Père Teilhard, mais ce n'est pas un autre non plus. Il a simplement pris à cette découverte une part décisive. Ainsi en est-il des recherches sur l'atome. Je me souviens de l'enthousiasme avec lequel le Père Teilhard nous fit part, au cours d'une conférence, de la manière dont les savants américains avaient travaillé en équipe à l'invention de la première bombe atomique. Inutile de souligner, je suppose, que l'enthousiasme de Teilhard n'allait nullement à l'objet d'une pareille recherche, mais à son caractère collectif.

Il lui apparaît ainsi que nous passons progressivement de la réflexion personnelle à une véritable réflexion collective. Ceci a commencé sans doute avec le phénomène du langage et devrait normalement s'achever par le franchissement d'un seuil nouveau, encore à venir, bien que nous puissions en observer autour de nous bien des réalisations partielles, le seuil de la coréflexion. Si nous appliquons à cette nouvelle perspective la loi de complexité-conscience, qui veut que les deux phénomènes s'accroissent ensemble; qu'il y ait d'autant plus de conscience qu'il y a plus de complexité, nous voyons où cela va. Les milliards de cellules nerveuses différenciées qui constituent le cerveau humain ont permis à l'homme de franchir le « pas » de la réflexion. Mais il est clair que si des milliards de cerveaux se coordonnent en un ensemble d'une complexité encore bien plus grande, la conscience en recevra un accroissement corrélatif ou, plutôt, une promotion dont rien de ce que nous connaissons ne nous permet de nous faire une idée adéquate.

Tel est l'ultra-humain vers lequel le Père Teilhard dirige à présent notre regard. J'entends bien ici les objections qui se pressent. La personne humaine, cette

conquête si précieuse que le Père Teilhard la considère
comme irréversible, ne risque-t-elle pas de se perdre
dans cette nouvelle conscience collective ? Teilhard a
bien vu l'objection. Il l'exprime en termes particulièrement forts et il y répond. Il a été sensible, comme
nous le sommes tous, aux aspects négatifs de la
compression dont l'humanité moderne est aujourd'hui
l'objet :

Par jeu conjugué de deux courbures, toutes deux de
nature cosmique — l'une physique (rondeur de la terre)
et l'autre psychique (l'attraction du réfléchi sur lui-
même) — l'humanité se trouve prise, ainsi qu'en un
engrenage, au cœur d'un « vortex » toujours accéléré de
totalisation sur elle-même.

Il faut résister à deux tentations, que Teilhard a
parfaitement analysées dans *Le Phénomène humain* :

Un premier réflexe risque souvent de le (l'homme)
porter à chercher son achèvement dans un effort d'isole-
ment.

Dans un premier cas, dangereusement favorable à
notre égoïsme privé, quelque instinct natif, justifié par
la réflexion, nous incline à juger que, pour donner à notre
être sa plénitude, nous avons à nous dégager le plus
possible de la foule *des autres*. Ce « bout de nous-mêmes »
qu'il nous faut atteindre, n'est-il pas dans la séparation,
ou du moins dans l'asservissement à nous-mêmes de tout
le reste ? En devenant réfléchi — nous apprend l'étude
du passé — l'élément, partiellement libéré des servitudes
phylétiques, a commencé à vivre *pour soi*. Ne serait-ce

pas dans la ligne toujours plus poussée de cette émanci-
pation qu'il nous faut désormais avancer[1] ?

Un peu plus loin Teilhard décrit un autre aspect,
plus insidieux, de la même tendance, qui est le racisme,
comme si le surhomme devait « germer, comme toute
autre tige, à partir d'un seul bourgeon d'humanité ».
Ces deux issues, en réalité, sont fausses, malgré les
apparences, car elles ne tiennent pas compte de ce
que Teilhard appelle « la confluence naturelle des
grains de pensée ».

Faux et contre nature l'idéal égocentrique d'un avenir
réservé à ceux qui auront su égoïstement arriver à l'extrême du « chacun pour soi ». Nul élément ne saurait se
mouvoir ni grandir qu'avec et par tous les autres avec
soi. Faux et contre nature l'idéal raciste d'une branche
captant pour elle seule toute la sève de l'arbre et s'élevant
sur la mort des autres rameaux. Pour percer jusqu'au
soleil, il ne faut rien moins que la croissance combinée
de la ramure entière[2].

Une seule voie demeure donc ouverte : celle que
Teilhard appelle quelque part l'Unanimité. Mais il n'a
pas encore été répondu, semble-t-il, à l'objection fondamentale, tirée de la crainte de voir notre personne
se perdre dans la masse.

1. *Op. cit.*, p. 268.
2. *Op. cit.*, 271.

Teilhard répond :

En tous domaines expérimentaux, la *véritable union* (c'est-à-dire la synthèse) ne confond pas : *elle différencie.* ... Entre éléments humains, *du fait de l'apparition de la pensée,* se constitue un milieu spécial et nouveau, au sein duquel les individus acquièrent la faculté de s'associer et de réagir entre eux, non plus principalement pour la conservation et la prolongation collectives de l'espèce, mais pour l'achèvement d'une conscience commune. En pareil milieu, la différenciation naissant de l'union peut agir sur ce que chaque élément porte en soi de plus particulier, de plus incommunicable : sa personnalité. La socialisation, dont l'heure semble avoir sonné pour l'humanité, ne signifie donc pas du tout, pour la terre, la fin mais bien plutôt le début de l'*ère de la personne.* Toute la question en ce moment critique est que la prise en masse des individualités s'opère non point (à la méthode « totalitaire ») dans quelque mécanisation fonctionnelle et forcée des énergies humaines, mais dans une « conspiration » animée d'amour. L'amour a toujours été soigneusement écarté des constructions réalistes et positivistes du monde. Il faudra bien qu'on se décide un jour à reconnaître en lui l'énergie fondamentale de la vie ou, si l'on préfère, le seul milieu naturel en quoi puisse se prolonger le mouvement ascendant de l'évolution. Sans amour, c'est véritablement devant nous le spectre du nivellement et de l'asservissement : la destinée du termite et de la fourmi. Avec l'amour et dans l'amour, c'est l'approfondissement de notre moi le plus intime dans le vivifiant rapprochement humain. Et c'est aussi le jaillissement libre et fantaisiste sur toutes les voies inexplorées. L'amour qui resserre sans les confondre ceux qui s'aiment, et l'amour

qui leur fait trouver dans ce contact mutuel une exalta-
tion capable, cent fois mieux que tout orgueil solitaire,
de susciter au fond d'eux-mêmes les plus puissantes et
créatives originalités [1].

Il faudrait longuement commenter cette page, où
se révèle à plein la pensée de Teilhard. Nous avons
noté, fort rapidement, la place centrale que le Père a
faite dans sa vie à ce qu'il nomme « la rencontre du
Féminin ». C'est que cette rencontre est celle même de
l'amour. D'autres penseurs, Hegel et Marx, à sa suite
ont vu le moteur de l'histoire dans l'affrontement
dialectique du maître et de l'esclave. Pour Teilhard,
c'est la dialectique de l'homme et de la femme, c'est-à-
dire la dialectique de l'amour. Ce à quoi nous assistons, non sans effroi, c'est à un resserrement progressif
de l'humanité sur elle-même. Cet effet de convergence,
depuis que nous avons franchi la ligne équatoriale,
est aussi, dans ses conséquences les plus visibles et les
plus immédiates, un effet de compression. Teilhard
nous montre à maintes reprises que nous n'avons aucun
moyen d'y échapper. C'est le rebondissement même de
l'évolution, au niveau humain. Mais, ici encore, nous
retrouvons les deux forces à l'œuvre dès les origines
de l'Univers : l'énergie tangentielle, qui est une poussée venue du dehors, et l'énergie radiale, qui est une
poussée venue de l'intérieur. Il pourrait arriver, dans
une hypothèse catastrophique, que la poussée tangen-

---

1. *L'Avenir de l'Homme*, pp. 174-175.

tielle fût seule à l'œuvre. Alors nous atteindrions
une unanimité par compression, c'est-à-dire par con-
trainte, vers quoi semblent s'orienter les États tota-
litaires.

Mais, en fait, cela n'est pas possible, pour une infi-
nité de raisons qu'il n'est pas question de détailler ici.
On ne voit pas, en effet, pourquoi la « montée vers
l'improbable » que manifeste, depuis l'origine, la loi
de complexité-conscience, aboutirait finalement à une
impasse. C'est ici qu'intervient la notion infiniment délicate, mais pourtant capitale, le point Oméga. A considérer les choses d'un point de vue purement naturel,
tout se passe comme si l'humanité était entraînée vers
un point de plus grande conscience, qui ne peut être
qu'hyperpersonnel, car on ne comprendrait pas autrement comment aurait pu se constituer la personne,
telle que nous la connaissons depuis l'apparition de
l'homme. Contrairement à ceux qui s'efforcent toujours d'expliquer les choses d'après leur origine, Teilhard pense que rien ne s'explique valablement que par
le terme. Ce n'est pas le passé qui éclaire le présent;
mais, au fur et à mesure que nous avançons dans l'histoire, nous la comprenons mieux, parce que nous prenons mieux conscience du point vers lequel elle se
dirige. Si du personnel, et même un hyperpersonnel
n'était à l'œuvre dès le début, rien ne serait compréhen-
sible de ce qui s'est passé jusqu'à présent. L'existence
du point Oméga et la certitude qu'il est éminemment
personnel et personnalisant résultent de l'examen
même des faits les plus patents, pourvu que nous ayons

9

le courage intellectuel d'aller jusqu'au bout des perspectives qui nous sont ouvertes.

Or, ce courage nous est aujourd'hui plus nécessaire que jamais, et c'est pourquoi Teilhard est venu à son heure. L'abbé Breuil aimait à dire que nous sortons à peine des temps néolithiques; mais enfin, nous en sortons. Bien que toutes les époques aient eu le sentiment d'être des époques de crise, et qu'en effet, elles l'aient toutes été, dans la mesure où elles marquaient une étape sur le chemin de l'évolution, la nôtre paraît singulièrement critique, en plus d'un sens, quand ce ne serait que par l'accélération du progrès scientifique et technique, que nous pouvons observer depuis deux siècles, et qui n'a pas de précédent connu dans l'histoire humaine. Que ceci doive entraîner une modification profonde, radicale, de toutes les structures actuellement existantes, aucun esprit lucide n'en peut douter.

En face de cette réalité, deux attitudes sont possibles, que le Père Teilhard a souvent définies : il y a, d'un côté, ceux qui tournent résolument le dos au progrès, soit qu'ils le nient, soit qu'ils le redoutent. Ils cherchent dans le passé un refuge contre le présent, et surtout contre l'avenir. De l'autre côté sont les hommes de progrès, ceux qui croient que l'issue peut être merveilleuse, et qui travaillent de toutes leurs forces à la préparer. Pendant trop longtemps, on avait cru pouvoir ranger les croyants, en bloc, dans la première de ces catégories. Les catholiques en particulier. N'appartiennent-ils pas à une Église qui proclame des vérités immuables ? Comment donc une pareille Église ne serait-elle point opposée au progrès ?

Raisonner ainsi, sans doute, c'est méconnaître l'histoire, qui nous montre les transformations profondes subies par l'Église au cours des siècles sans que, pour autant, le dépôt de la foi ait été altéré. Mais certaines apparences font pourtant que cette opinion est très largement répandue chez presque tous les non-catholiques et chez un grand nombre, peut-être le plus grand nombre des catholiques eux-mêmes. Un religieux de mes amis observait naguère que si, dans un village arriéré, on installe l'électricité, au bout de peu d'années on ne verra plus de jeunes à la messe, comme si la science devait nécessairement chasser la religion des derniers « antres obscurs où elle s'obstine à la clarté des cierges ».

C'est là contre que le Père Teilhard s'est élevé. Non que son dessein primitif ait été, peut-être, de construire une apologétique nouvelle. Ce sont d'abord des problèmes personnels qu'il lui a fallu résoudre parce que, prêtre et savant, il vivait tous les jours la confrontation de la science et de la religion. Ce que lui apprenait la science, ce qu'il démontrait lui-même avec une pertinence singulière par la loi de complexité-conscience : c'était la réalité du progrès; c'était que l'homme, de plus en plus conscient de ses propres forces, doit prendre désormais résolument et en sachant ce qu'il fait, la tête de l'évolution. Le croyant trahit-il, en agissant ainsi, les exigences les plus profondes de sa foi ?

Non seulement le Père Teilhard ne le croyait pas mais il pensait, au contraire, qu'on ne peut être un chrétien authentique, si l'on n'est d'abord un homme véritable. Nous l'avons vu s'avancer, par la seule force de la lumière naturelle, jusqu'à ce point Oméga, hyper-personnel, qui est le terme d'une évolution, passée avec la réflexion de la divergence à la convergence. Voici maintenant ce qu'il écrit dans *Le Cœur de la Matière* :

Avec la découverte d'Oméga s'achève ce que je pourrais appeler la branche naturelle de ma trajectoire intérieure en quête de l'ultime consistance de l'Univers. Non seul-ement en direction vague de « l'Esprit », mais sous forme de foyer supra-personnel bien défini, s'est finalement découvert... à ma recherche expérimentale un *cœur* de la matière totale. Eussé-je été un incroyant, et laissé aux seu-les impulsions de mon Sens de la Plénitude, il me semble que, de toute façon, j'eusse abouti au même sommet spi-rituel de mon aventure intérieure. Et il est même possible que, par simple approfondissement rationnel des pro-priétés cosmiques d'Oméga (unité complexe, où la somme organisée des éléments réfléchis du monde s'irré-versibilisent au sein d'un Super-ego transcendant) j'ai été amené tardivement, au cours d'une démarche finale, à reconnaître dans un Dieu incarné le reflet même, sur notre noosphère, de l'ultime noyau de totalisation et de consolidation biopsychologiquement exigé par l'évolution d'une masse vivante *réfléchie*.

Mais le Père ajoute aussitôt qu'il n'en a rien été, qu'en fait, il était né, pour ainsi dire, chrétien, qu'il

avait grandi et était fidèlement resté dans le catholi-
cisme et, dès lors :

Sens cosmique et sens christique : en moi, deux axes
apparemment indépendants l'un de l'autre dans leur naissance; et dont c'est seulement après beaucoup de temps
et d'efforts que j'ai fini par saisir, au travers et au-delà
de l'humain, la liaison, la convergence, et finalement
l'identité foncière.

De telle sorte que ce point Oméga, dont une face,
qu'éclaire la lumière naturelle, est l'aboutissement de
toute l'évolution découvre à présent une autre face,
surnaturelle, celle-ci, révélée, et non plus induite, qui
est le visage même du Christ. Voilà d'où a émergé,
dans la pensée du Père Teilhard, cette notion du christique, du Christ cosmique, du Christ évoluteur, qui
tient une place centrale dans sa vision du monde.

A l'origine de cet envahissement et de cet enveloppement il me semble pouvoir placer l'importance, rapidement croissante, prise dans ma vie spirituelle par le sens
de « la Volonté de Dieu ». Fidélité au vouloir divin,
c'est-à-dire à une omniprésence *dirigée et figurée*, acti-
vement et passivement saisissable en chaque élément et
en chaque événement du monde. Sans me rendre compte
bien nettement, au début, du pont jeté par cette attitude
éminemment chrétienne entre mon amour de Jésus et
mon amour des choses, je n'ai jamais cessé, depuis les
premières années de ma vie religieuse, de m'abandonner

avec prédilection à ce sentiment actif de communion avec Dieu à travers l'Univers. Et c'est une émersion décisive de cette mystique « pan-christique », définitivement mûrie aux deux grands souffles de l'Asie et de la guerre que reflètent, en 1924 et 1927, *La Messe sur le monde* et *Le Milieu divin*[1].

Quelques mois avant sa mort, dans l'un de ses derniers écrits, daté de New York, mars 1955, *Le Christique,* le Père Teilhard est revenu, encore une fois, sur cet aspect suprême de son œuvre de religieux et de savant. Si l'on veut comprendre ce qui est arrivé et le cheminement de cette grande pensée, il ne faut pas perdre de vue que, progressivement, Teilhard a été amené à placer l'homme au centre de sa perspective cosmique. Dans *Le Cœur de la Matière* qui est, nous l'avons dit, une sorte d'autobiographie, le Père situe en 1935 le moment où il introduit l'homme au sommet de sa pensée. En réalité, cet avènement était depuis longtemps préparé, appelé par toutes les réflexions et toutes les expériences antérieures. Il signifie à peu près ceci : de même que, pour expliquer l'homme, il ne faut pas moins que l'univers entier; pour expliquer l'univers il n'y a pas d'autre clef que l'homme. Dès lors l'incarnation du Verbe, l'humanité du Dieu fait homme, pour un penseur chrétien, deve-

---

1. *Le Cœur de la Matière.*

naît centrale, elle aussi, non pas seulement parce que la Foi le révèle, mais parce qu'il y a là une convenance que la raison peut admettre, que même elle appelle, encore qu'elle soit par elle-même incapable d'y parvenir.

Il faut, en effet, bien comprende que, pour Teilhard, le fait de mettre l'homme au centre de toute perspective cosmique, et de l'y mettre non parce que nous sommes hommes et que cela flatterait notre orgueil mais parce qu'on ne peut réellement rien expliquer au monde autrement, conduit à situer le christianisme dans l'histoire humaine exactement comme on situe l'homme dans la nature :

A la suite du développement pris en science par l'étude des religions comparées ce grand événement, unanimement regardé en Occident, pendant près de deux mille ans comme unique dans l'histoire du monde (il s'agit de l'avènement du christianisme) pourrait sembler, à première vue, subir la même éclipse, en ce moment, que, au début du darwinisme, l'apparition au quaternaire de l'homme dans la nature.

« Le christianisme, une remarquable espèce de religion, bien sûr, mais entre beaucoup d'autres, et seulement pour un temps donné. Voilà ce que disent, et disent plus ou moins explicitement, en ces jours, une énorme majorité de gens « intelligents ».

Or, de même que, dans le cas de l'homme, il a suffi, pour que l'humain regagne son primat non plus au centre, cette fois, mais en tête des choses que se dégagent peu à peu, dans nos perspectives, la place et la fonction évolutives de la réflexion; de même, me semble-t-il, le christianisme, loin de perdre sa primauté au sein de la vaste mêlée religieuse déchaînée par la totalisation du monde moderne, reprend et consolide au contraire sa place axiale et dirigeante en flèche des énergies psychiques humaines; pourvu que soit prêtée attention suffisante à son extraordinaire et significatif pouvoir de « pan-amorisation » (*Le Christique*).

C'est qu'en effet, comme je l'ai déjà indiqué, la suprême énergie qui, pour le Père Teilhard, monte et pousse en avant, non pas l'homme seulement, mais, à travers l'homme, l'univers tout entier, est une énergie d'amour. Si nous allons vers l'union, et non pas seulement vers l'unité, c'est par l'amour seul que nous y atteindrons, et c'est précisément cette union par l'amour qui, loin de porter préjudice à ce qu'a d'irremplaçable toute personne humaine, permettra à toutes les personnes de s'élever à un degré supérieur et plus complexe, sans qu'aucune d'entre elles soit sacrifiée, mais dans le plein épanouissement, au contraire, de ce qui fait son unicité.

Cet élément « amorisant », sans lequel il faudrait peut-être désespérer de l'aboutissement final d'un effort et d'une montée qui durent depuis les origines mêmes du monde, c'est ce que le Père Teilhard nomme le « Christique », et l'apparition du Christ sur notre terre et au sein de notre humanité est un fait aussi capital que l'apparition de l'homme lui-même. On voit donc les perspectives de la foi rejoindre celles de la science et le Père Teilhard pouvait conclure ainsi son dernier écrit :

Partout sur terre, en ce moment, au sein de la nouvelle atmosphère spirituelle créée par l'apparition de l'idée d'évolution, flottent, à un état de sensibilisation mutuelle extrême, l'amour de Dieu et la foi au monde : les deux composantes essentielles de l'ultra-humain. Ces deux composantes sont partout « dans l'air », mais généralement pas assez fortes, *toutes deux à la fois,* pour se combiner l'une avec l'autre, *dans un même sujet.* En moi, par pure chance (tempérament, éducation, milieu...), la proportion de l'une et de l'autre se trouvant favorable, la fusion s'est opérée spontanément — trop faible encore pour se propager explosivement — mais suffisamment toutefois pour établir que la réaction est possible, et que, *un jour ou l'autre, la chaîne s'établira (Op. cit.).*

Le jeudi saint 7 avril 1955, trois jours avant sa mort, sur ce qui est la dernière page de son Journal, le Père Teilhard écrivait, sous le titre de *Ce que je crois* :

1) Saint Paul les trois versets (« Le dernier ennemi détruit, c'est la mort; car il (le Christ) a *tout mis sous ses pieds...* Et, quand toutes choses lui auront été soumises, alors le Fils lui-même se soumettra à celui qui lui a tout soumis, afin que Dieu soit tout en tous ». (I Co., xv, 26, 27 et 28). *En pâsi panta Theos.*

2) Kosmos = Kosmogénèse → Biogénèse → Noogénèse → Christogénèse.

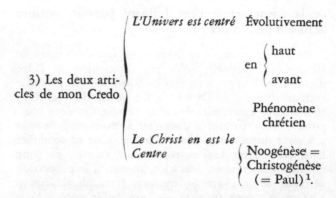

3) Les deux articles de mon Credo

L'Univers est centré Évolutivement

en { haut / avant

Phénomène chrétien

Le Christ en est le Centre { Noogénèse = Christogénèse (= Paul)[1].

Qu'ajouter à ces lignes bouleversantes ? Celles-ci, peut-être, qui sont les toutes dernières du *Christique* : « Il suffit, pour la Vérité, d'apparaître une seule fois, dans un seul esprit, pour que rien ne puisse jamais plus l'empêcher de tout envahir et de tout enflammer. »

A présent, ce qui n'était pour Teilhard qu'une certitude dans l'avenir est, sous nos yeux, une éblouissante réalité. Malgré tous les obstacles qu'il eut à surmonter, le message de Teilhard de Chardin est largement diffusé à travers le monde. Il faut le continuer, le compléter, le discuter, sans oublier qu'une pensée évolutive comme celle-ci ne s'accomplit que dans son propre dépassement. Mais on peut bien affirmer que personne, depuis bien longtemps, n'avait adressé à tous les hommes une parole chargée tout à la fois de plus d'es-

1. D'après l'*Avenir de l'Homme,* pp. 404-405.

pérance surnaturelle et de plus de probabilité humaine;
une parole que notre époque attendait entre toutes, car
cette époque, en dépit des apparences et peut-être à
cause même de ce qu'elle manifeste le plus ouvertement, est une époque de mutation douloureuse. Qui sait
si les déchirements actuels ne sont pas la préparation
de l'unité qui vient ? C'est là ce qui donne à la vision
prospective du Père Teilhard de Chardin une si particulière urgence pour tous les hommes, pour les chrétiens, pour ceux qui le furent et pour ceux qui ne l'ont
jamais été.

Teilhard est, après tout, le premier penseur qui ait
donné à la notion de Progrès, si généralement admise
aujourd'hui, un contenu rigoureux et vraiment à la
mesure de l'Univers. S'il n'a fait que retrouver ainsi le
fond permanent du christianisme, son mérite n'en est
pas moins éclatant.

grandeur immuable et de plus de probable humaine,
une parole que notre époque attendait entre sous...
cette époque... au déph des apparences et peut-être à
aussi même ce ce qu'elle manifeste le plus nettement, en une époque de mutation idéologique. On sait
si les déchirements actuels ne sont pas la préparation
de l'unité qui vient. C'est là ce qui donne à la vision
prospective du Père Teilhard de Chardin une si particulière urgence pour tous les hommes, pour les chrétiens, pour ceux qui le savent et pour ceux qui ne l'ont
jamais su.

Teilhard fut, après tout, le premier penseur qui ait
donné à la notion de Progrès si généralement admise
aujourd'hui, un contenu rigoureux et véritable; à la
mesure de l'Univers, s'il n'a fait que retrouver ainsi le
fond permanent du christianisme, son mérite n'en est
pas moins éclatant.

BIBLIOGRAPHIE TRÈS SOMMAIRE

La bibliographie teilhardienne est déjà très copieuse et s'accroît presque de jour en jour. Nous ne mentionnons ici que les ouvrages strictement indispensables à une étude plus poussée. Ceux de M. Cuénot contiennent la bibliographie la plus complète.

A) OUVRAGES SUR LA BIOGRAPHIE DE TEILHARD, OU QUI L'ÉCLAIRENT :

C. CUÉNOT : *Pierre Teilhard de Chardin. Les grandes étapes de son évolution,* Paris, Plon, 1958.

P. LEROY, S. J. : *Pierre Teilhard de Chardin tel que je l'ai connu,* Paris, Plon, 1958.

P. TEILHARD DE CHARD(N : *Genèse d'une pensée* (Lettres à sa cousine Marguerite Teillard-Chambon, de 1914 à 1919), Paris, Grasset, 1961.

P. TEILHARD DE CHARDIN : *Lettres de voyage* (1923-1955), publiées par Claude Aragonnès (Marguerite Teillard-Chambon), Paris, Grasset, 1961. Ces deux derniers ouvrages contiennent aussi des indications précieuses sur la pensée de Teilhard.

B) ŒUVRES DE TEILHARD :

Sept volumes parus aux Éditions du Seuil :

T.   I, *Le Phénomène humain,* 1955.
T. II, *L'Apparition de l'homme,* 1956.
T. III, *La Vision du passé,* 1957.
T. IV, *Le Milieu divin,* 1957.
T.   V, *L'Avenir de l'homme,* 1959.

T. VI, *L'Énergie humaine*, 1962.

T. VII, *L'activation de l'énergie humaine* (en préparation).

Hors série :

Hymne de l'univers, 1961.

Chez Albin Michel :

Le groupe zoologique humain, 1956. Réédité sous le titre de : *La place de l'homme dans la nature*, en 1962, dans la collection 10/18 et aux Éditions du Seuil.

C) OUVRAGES DE BASE :

C. TRESMONTANT : *Introduction à la pensée de Teilhard de Chardin*, Paris, Éditions du Seuil, 1956.

O.-A. RABUT, O. P. : *Dialogue avec Teilhard de Chardin*, Paris, Éditions du Cerf, 1958.

P. CHAUCHARD : *L'Être humain selon Teilhard de Chardin*, Paris, Gabalda, 1959.

G. CRESPY : *La pensée théologique de Teilhard de Chardin*, Bruxelles et Paris, Éditions universitaires, 1961. (Ouvrage savant d'un théologien protestant.)

P. GRENET : *Teilhard de Chardin, un évolutionniste chrétien*, Paris, Seghers, 1961.

N. M. WILDIERS, O. M. : *Teilhard de Chardin*, Paris et Bruxelles, Éditions universitaires, 1961.

C. CUÉNOT : *Teilhard de Chardin*, dans la collection « Écrivains de toujours », Paris, Éditions du Seuil, 1962.

H. DE LUBAC, S. J. : *La Pensée religieuse du P. Teilhard de Chardin*, Paris, Aubier, 1962.

M. BARTHÉLEMY-MADAULE : *Bergson et Teilhard de Chardin*, Paris, Éditions du Seuil, 1963.

TABLE DES MATIÈRES

ACHEVÉ
D'IMPRIMER

SUR LES
PRESSES
D'AUBIN
LIGUGÉ
(VIENNE)
EN JUIN
1963